みんなのうた

重松 清

角川文庫 18101

目次

挿絵　唐仁原教久

第一話　レイコさんの帰郷

1

「帰省」ってわけじゃないんだな——。

空港から乗り込んだリムジンバスの中で、レイコさんは、ふと思った。音楽プレーヤーのイヤホンをはずし、窓枠に頬づえをついて、短いため息をついた。

中島みゆきを聴いていたのがよくなかったのだろう。歌詞の言葉が胸にチクチク刺さっているうちに、歌には出てこない言葉まで、薄皮を剝《む》いたみたいに、ひりついてしまう。

都会に暮らすひとがお盆やお正月にふるさとに帰るのが、帰省。田舎に帰って何日か過ごしたあとは、また都会のわが家に帰る。「帰る」が重なってしまう矛盾が、ややこしさというか、生まれ故郷を出て都会で暮らしているひとの背負った複雑な負い目の証《あかし》というか、とにかくそれが「帰省」というやつだ。

去年の夏休み、レイコさんは確かに「帰省」をした。二泊三日。実家の玄関で、「ただいま」ではなく「お邪魔しまーす」と言ったら、母親の珠代《たまよ》さんに「なに他人行儀な挨拶《あいさつ》しよるん」と嫌な顔をされてしまった。

八ヵ月後、三月終わりのいまは、違う。レイコさんが玄関で言える言葉は、「ただいま」しかない。「お邪魔しまーす」とお客さんになる権利は、もう、ない。「帰省」には、都会に帰るための切符が必要だ。都会にわが家がなければ「帰省」にはならない。片道切符の「帰省」なんてありえないわけだ。

だが、レイコさんがいま持っているのは、東京からふるさとへ向かう切符だけだった。

「帰郷」の旅――もはや東京に帰るべきわが家はない。

丸三年暮らした東京のアパートは、おととい引き払った。荷物は一足先に実家に着いている。大家さんから返してもらった敷金をはたいて、おとといの夜とゆうべはベイエリアの高層ホテルに泊まった。ルームサービスのあるホテルに泊まったのは、二十一年生きてきて初めてのこと――メニューの値段を見た瞬間、「げっ」と声が漏れて、それでも意地になって、いちばん安い税抜き八百円のミネラルウォーターを一本だけ、頼んだ。

おとといの夜は、ふて寝同然に、ひたすら眠った。三年ぶんの東京生活の疲れをふるさとには持ち帰りたくなかった。

ゆうべは明け方近くまで起きていた。窓際のソファーに座って、きらびやかな夜景を目に焼き付けた。もう二度と暮らすことはないだろう。しばらくの間は、テレビで東京の街を見るたびに、胸がキュッと絞られるように痛むだろう。

さよなら、東京——。

「あんた、なに一人で感慨にひたっとるん」

ハッと我に返ると、一つ前の席に座っていたイネちゃんが、後ろ向きにシートに膝《ひざ》立ちして、こっちを見ていた。

「目が遠ーくに行っとったよ。カレシのことでも考えとったん？」

イネちゃんはからかうように言って、「あ、でも、カレシつくるような子と違うもんなあ、レイコは」と一人でオチをつけ、けらけらと笑う。

「……よけいなお世話」

頰づえをついたまま、そっぽを向いた。耳たぶが熱くなった。恥ずかしいところを見られてしまった。それも、いちばん見られたくない相手に。

「なあ、そっち行ってええ？　一人でぼーっとしとると、暇でいけんのよ」

「子どもは？」

「寝た寝た、もう、こてーんって寝てしもうたけん。そっち行くね、ええやろ？」

答える間もなく通路に出て、「よいしょーっ」とはずみをつけて隣に座る。

強引で、自己中心。子どもの頃からちっとも変わっていない。

そのまま夜の世界に出かけられそうなセクシーな服に金色に染めた長い髪という、

派手好きでコワモテ好きなところも変わらない。一緒に連れている四歳の男の子も、髪を金色に染めていた。名前は麗央――レオ。そういう趣味も、昔から、だった。

「どうしたん？　なに怒っとるん」

「べつに……」

「おなか痛いん？」

「違うってば」

「一人でしんみり、ココロの傷を嚙《か》みしめながら田舎に帰りたかった、とか？」

鈍感なくせに、妙なところで勘が鋭い。これも、昔から。

「でも、ほんま、すごい偶然やね。運命っていうか、なんか信じられんよ」

レイコさんは黙ってうなずいた。

「もし東京で、うちらがこげんして並んで座っとっても、ぜーったいに幼なじみとは思われんやろね」

確かに、レイコさんが帰郷の旅に選んだファッションは、ふだんどおりの、きわめて地味でデフレでリーズナブルなものだった。服の上から下まで、さらにバッグや靴まで足しても、総額一万円でお釣りが来る。髪型は、中学時代からずーっと変わらず、ショートのボブ――自分で前髪を切っているので、左右が微妙にアンバランス。

「このツーショットって、スターと付き人って感じやと思わん？」

イネちゃんはそう言って、ふふーん、と鼻を鳴らして笑ったが、つまらないおしゃべりに付き合う気力はないし、イネちゃんは甘やかすと調子に乗るタイプでもある。

レイコさんは黙って窓の外をぼんやりと見つめた。がら空きのバスは、がら空きの国道を、方角で言うなら北東、わかりやすく言い換えれば山奥に向かって、ひた走っている。国道の左右は田んぼと畑と山、山、山、山……ときどき、町。

終点の鶴山駅まで約七十キロ、一時間半の道のりの半ばを過ぎたあたりだった。羽田空港からの飛行機は、八百キロの距離を一時間そこそこで飛んでしまう。鶴山から生まれ故郷の梅郷町まではJRのローカル線で四駅だが、昼下がりのこの時間帯、列車は二時間に一本なので、鉄道で帰るなら鶴山駅の待合室で一時間近く待たなければいけない。そんな距離と時間のアンバランスさに、田舎に帰るんだなあ、と思い知らされる。

「でも……うちが東京に出ていって五年やろ、で、レイコが三年、東京ではいっぺんもすれ違うたこともなかったのに、よりによって……最後の最後で、同じ飛行機に乗って田舎に帰るんやもん、運命いうか、皮肉いうか、なんかもう、笑うしかない思わん？」

言葉で答える代わりに、レイコさんは苦笑した。

本音では、高校一年生で家出したイネちゃんと、東大を目指して上京した自分とを一緒にしてほしくなかった。だが、親のスネをかじって三浪もしたすえに東大をあきらめた受験生と、十七歳で結婚して二十一歳で別れた子連れのバツイチ——上京の動機はともかく、帰郷のときの決まり悪さについては、似たようなものなのかもしれない。

イネちゃんは、あくび交じりに「意外とコンビニが多いんね」と言った。「さっきから、お店いうたらコンビニしかないやん」

「うん……この国道、夜はけっこうトラックも通るみたいだし。その代わり、ドライブインとか、ふつうの酒屋さんとか、だいぶ減った感じするけど」

「社会科見学みたいなこと言わんといて。ほんま、クソまじめなんやから」

イネちゃんは笑った。昔は絵本のキツネのような細おもてだったが、いまは少し太って、とがっていた顎《あご》も円みを帯びた。それでも、目や口を顔の中心に寄せるような、くしゃっとした笑い方は変わらない。そういうところがうれしいような、寂しいような、せつないような……。

イネちゃんが東京でどんな暮らしをしていたのかは知らない。

家出をしてから五年間、友だちにはなんの音沙汰《おとさた》もなかった。結婚をしたときぐらいは実家には連絡を取っていたのかもしれないが、親がべらべらしゃべるような話でもない。親戚《しんせき》や近所のひとたちも両親の前ではイネちゃんのことはなるべく触れないようにしていたし、そのぶん噂話での盛り上がりはすごかったものの、最近ではもう年寄り連中のおしゃべりのネタになることもめったになくなっていた。

羽田空港の搭乗ロビーでフライトを待っていたら、麗央くんの手をひいて歩いてきたイネちゃんに声をかけられた。

「すみません……ひょっとして、梅郷町の森原礼子さん、ですか？」

そこまでの言葉は標準語だったが、レイコさんが驚いて顔を上げると、その場に飛び跳ねて「うそォ、レイコ？　レイコやろ？　ほんまにレイコや〜ん！」と、あっという間に方言に戻って声を張り上げ、自分の顔を指差した。

「うちよ、うち！　わからん？　野上稲穂って、覚えとらん？」

「……イネちゃん？」

「そう！　イネちゃん！」

半信半疑のまま唖然《あぜん》とするレイコさんをよそに、イネちゃんは「懐かしいなあ、うわあ、ほんま、信じられんわぁ！」とはしゃぎつづけた。

そんなイネちゃんに、麗央くんは怪訝《けげん》そうに言ったのだ。

「ママ、それ、どこの言葉？」

さらに、もう一言。

「イネちゃんって、だれのこと？　ママはマリアさんでしょ？」

野上稲穂。ノガミ・イナホ。

森原礼子。モリハラ・レイコ。

いずれ劣らぬ、レトロでカントリーな名前の二人だったが、イネちゃんの場合はそれが東京生活の大きな枷になってしまった。

「『稲穂』はお店では使えんのよ。イナホで喜ぶんは早稲田出のおっちゃんだけやし、早稲田出のおっちゃんらは、あんまり通うてくれんし、お金も落としてくれんけん」

そんなわけで「芸名」が必要になった。「源氏名」のほうが正しいんじゃないかとレイコさんは思ったが、なにも言わなかった。「お店」の種類も、子どもの前で話すようなことじゃないよね、と聞き流しておいた。

イネちゃんは結婚と出産と離婚のことを手早く話し、レイコさんも訊かれるまま、どうせ隠していてもすぐにばれることなので、三浪目の受験に失敗して田舎に帰るんだと正直に告げた。

「田舎に帰って、もう受験せんのん？」

レイコさんは苦笑交じりに、「わかんない。来年受けるとしても、地元の国立しか無理だろうね」と答えた。

イネちゃんも寂しそうに笑い返して、ぽつりと、つぶやくように言ったのだ。

「都落ちやね、お互い……」

2

鶴山市までは、あと少し。山並みがだいぶ迫ってきた。田んぼや畑の形は、平らな土地を必死にやりくりしてます、というふうに複雑になり、家の構えは瓦《かわら》屋根の重厚なものが増えてきて、もう春分を過ぎたというのに、日陰には雪が残っていた。

「なあ、レイコ、弟おったやろ？　あの子、名前なんていうたかなあ……」

「タカツグ」

「あ、そうそう、タカツグな、はいはい、思いだした思いだした。うちが梅郷におった頃はガキんちょやったけど、もう大きゅうなったんやろ？　高校生ぐらい？」

「三年生」

「おおーっ、青春ど真ん中！　カノジョとかおるん？」

「知らないって、そんなの」

イネちゃんはもっと話したそうな様子だったが、麗央くんが目を覚ましたので、しかたなく自分の席に戻っていった。

少し、ほっとした。もともと、幼なじみではあっても、タイプが違いすぎて、仲良しというような付き合いではなかった。それに、なにより、夢破れた帰郷の旅に、おしゃべりは似合わない。黙って、過ぎ去りし日々を走馬燈《そうまとう》のように浮かべるのが、正しい帰郷の旅のあり方なのだ。

音楽プレーヤーのイヤホンを、また耳につけた。中島みゆきを聴いた。レイコさんは、勉強ができるわりには、妙なところにこだわってしまうひとなのである。

バスは鶴山市の市街地を迂回《うかい》するバイパスに入った。県北部随一の街とはいっても、人口は十万足らずで、わざわざ往復四車線のバイパスをつくるほどの交通量はない。お決まりの、税金の無駄遣いの公共事業というやつだ。それでも、レイコさんの父親の隆造《りゅうぞう》さんは鶴山市の建設会社に勤めている。レイコさんが三年間も浪人できたのも、公共事業があってこその話だった。

だが、去年の秋の県知事選挙で、いわゆる「業者」や「団体」がバックアップしていた本命の候補は、みごとに落っこちてしまった。まだ四十代半ばの新知事は、選挙時の公約だった公共事業の見直しにさっそく取りかかっている。隆造さんの会社も、かなりの打撃を受けるだろう。

ため息交じりに、弟のことを思った。タカツグ――「孝継」。名前からして親孝行と跡取りを宿命づけられたタカツグの進路は、まだ聞いていない。レイコさんは受験に打ち込むためにこの正月は東京で過ごしたし、秋から半年間、実家と連絡をとったことはほとんどなかった。

大学に行くつもりなのだろうか。タカツグはあまり勉強ができない。国公立や私立のそこそこのレベルも、たぶん、無理だろう。

名前を聞いたこともない大学に行くぐらいなら、あの子が就職して、わたしに最後のチャレンジをさせてくれれば……。

いくらなんでも身勝手だよね、と音楽を停め、イヤホンをはずした。バスはあと五、六分で駅に着く。よし、と意味なくつぶやくと、ため息が勝手に漏れた。

前の座席では、退屈してむずかりかけた麗央くんをよそに、イネちゃんは小さないびきをかいて眠りこけていた。

鶴山駅でバスを降りると、イネちゃんは「ほな、またね」とレイコさんに手を振って、駅の隣のビジネスホテルに向かいかけた。

「家に帰るんじゃないの？」

驚いて訊くと、足を止めて、「いろいろあるけんね」と笑う。「根回しがすまんうちは、梅郷には帰れんのんよ」

なるほどね、とレイコさんは黙ってうなずいた。二十一歳の子連れバツイチの元・

家出少女と、人口が減りつづけて九千人を割った典型的な過疎の農村のふるさと――どう考えても、相性は悪い。

麗央くんにせかされて、イネちゃんはまた歩きだした。麗央くんとつないだ手を大きく振って、「いっちに、いっちに」と行進のようにおどけて足を高く上げて進む。その背中を見送っていたら、なんだか胸がじんとしてきた。

がんばろうね、お互い……。

声に出さずにつぶやいたとき、感傷を吹き飛ばすような薄っぺらいクラクションが背後で聞こえた。

「レイコ、こっちじゃ、こっち」

祖父の、達哉《たつや》じいちゃん――達爺《じい》が、畑仕事の行き帰りに使っている軽トラックの運転席の窓から顔を出して、笑っていた。

土のにおいの染みついた助手席に座って、「お母さんは？」と訊《き》いた。最初の話では、珠代さんが迎えに来るはずだったのだ。

「おう、まあ、ちょっとの……店のほうが急に忙しゅうなったけん、わしに電話してきたんじゃ」

「店……って？　なに、お母さん、またパートに出てるの？」

「いや、まあの、どうもこうも、まあ、店いうたら、まあ、アレよ……」

達爺はもごもごと要領を得ないことを言って、車を急発進させた。不意をつかれたレイコさんは前につんのめりそうになって、あわててシートベルトを締め、窓の上のグリップをしっかり握りしめる。

八十歳近い達爺の運転は、そろそろ免許返上を本気で考えた方がいいほど危なっかしい。ボディのあちこちがへこんだ車はふらふらと、センターラインを越えそうになったり信号の停止位置を間違えたりしながら、なんとか鶴山の町なかを抜けて、梅郷町へ一本道の県道に出た。

市街地では黙り込んで運転に集中していた達爺も、やっと緊張を解いて、しわがれた声で言った。

「受験、残念じゃったのう……」

レイコさんがうつむいてしまうと、達爺もつづく言葉を探しあぐねて、車の運転がいっそう危なっかしくなった。

しかたなく、レイコさんのほうから話を継いだ。

「ごめんね、おじいちゃん……三年も浪人させてもらったのに」

「なに言いよるんな、そげなことで気兼ねせんでもええんじゃ。病気もせんと元気で帰ってきたら、それがいちばんんよ、のう」

「……うん」

「今夜は、ばあさん、巻き寿司《ずし》を作っとるけん、ぎょうさん食うちゃってくれや」

おばあさん――キミ婆の手料理でレイコさんがいっとう好きなのは、巻き寿司だ。

「あと……茶碗《ちゃわん》蒸しもあるけえの」

茶碗蒸しが第二位。

冗談半分に「じゃあ、ガンモの煮たのは？」と訊くと、達爺は陽に焼けた皺《しわ》くちゃの顔をほころばせて「作っとらんわけなかろうが、レイコが帰ってくるのに」と言った。

大好物のベスト3が出そろった。

ようやく、少しずつ楽しくなってきた。サスペンションの効きが悪いオンボロの軽トラックのガタガタした乗り心地も、慣れてしまえば、まあ、悪くないか、と思えるようになった。

もうすぐ、わが家だ。森原家の一人娘だったキミ婆と、婿養子の達爺、隆造さんに珠代さんに、タカツグに、そしてレイコさん。六人家族の暮らしがひさしぶりに再開される。それはそれで悪くないのかもしれないな、と自分で自分に言い聞かせた。

タイミングよく、車は鶴山市との境界線になる梅郷川の橋を渡って、ここから、ふるさと――。

「さっきおじいちゃん、お母さんがお店に行ってるって言ってたよね。どこのお店でパートしてるの？　JAストア？　藤岡商店？」

達爺の顔の皺が、きゅっ、と縮んだ。

「お母さんが家にいないと、タカツグ、遊んでばっかりじゃないの？」

達爺の皺は、さらに、ぎゅううっ、と縮む。

どうしたの？　と訊こうとしたら、先のほうにカラオケボックスが見えた。まだ新しい、プレハブの建物だった。

「へえ、梅郷にもカラオケボックスなんてできたんだぁ……」

達爺の返事の代わりにウインカーの音が聞こえた。車のスピードも急に落ちた。

カラオケボックスが近づいてくる。看板の店名が見えた。『カラオケ　ウッド・フィールズ』――ウッドは「森」、フィールズは「原っぱ」……森原？　モ・リ・ハ・ラ？

「ねえ、おじいちゃん、このお店って、ウチの親戚《しんせき》がやってるの？」

訊いたそばから、別の、もっととんでもない予感が湧きあがってきた。

「ちょっと、ねえ……お母さんの仕事してるお店って、まさか……」

車は、店の前の駐車場に停まった。

達爺は、ふう、と息をつき、フロントガラスをにらむような顔で言った。

「ここの店長、タカツグじゃけん」

カラオケ
ウッド♪
フィールズ

「はあ？」

「ここは、タカツグの店なんじゃ」

達爺はぶっきらぼうに言うと、レイコさんの視線から逃げるように車を降りた。

3

「タカツグ！」

ものごころついた頃から、いつも声を張り上げていたような気がする。

「タカツグ！」

たいがい怒りながら、ときどきあきれながら、図形にたとえるなら逆三角形の声ばかり出していた。

「タカツグ！」

こんなことを言うと、「ウチの惣領《そうりょう》になに言いよるん」とタカツグびいきのキミ婆に叱られて、ついでに「あんたは嫁に行く身なんじゃけん、跡取りのタカちゃんとは違うんじゃけんね」ぐらいは言われそうだが、出来が悪いのは事実なのだからしかたない。

「タカツグ！」

なにをやらせても、のんびりした弟だった。ぼけーっとしたヤツだった。キミ婆が「タカちゃんは大物じゃけん、どっしりかまえとるんよ」と甘やかしたせいで、ますますトロくなってしまった。「おばあちゃん子は三文安い」というのは、まったく真理をついているんだと、レイコさんはいつも思っていた。

「タ・カ・ツ・グッ！」

間抜けな失敗をするたびに、もどかしくて、情けなくて、腹立たしくて、悔しくて、むしょうに悲しくもなって……子どもの頃は思わず頭をはたいたことも多かった。

いまだって。

そう、いまだって、ほんとうに……。

「タカツグ、あんたねえ、わかってんの？」

レイコさんは受付カウンターに身を乗り出して、言った。「キミ婆とお母さんの作戦っていうか、陰謀に乗せられちゃったようなものじゃない」——どうしてわからないのよ、と訴えるようなまなざしで。

だが、タカツグは「大げさなこと言うなあ」と軽く笑って、手に持ったワイヤレスマイクに除菌スプレーをピュッピュッとかけた。

茶髪のロン毛、眉《まゆ》をいじって、シルバーのブレスレットにスカルリング……スタイルや小道具はそれなりでも、東京のお洒落《しゃれ》なコとは微妙に違う。ポイントがずれているというか、なにか全体的に野暮ったいというか、要するに、つまり、簡単に言ってみれば、田舎っぽいのだ。姉の目から見ると、そういうところも頼りない。

「大げさじゃないって。あんたはバイト気分かもしれないけど、この店、あんたのための店なんだよ？　その意味わかってる？」

「俺が店長さんいうことじゃろ？」

「逃げられないってこと！　わかる？　あんた、もう梅郷からもウチからも逃げられなくなっちゃったのよ？」

そこまで言っても、タカツグの反応は鈍い。消毒済みのマイクをフックに掛けて、

「べつに逃げるような悪いことしとらんもん」と笑う。「それより、お姉ちゃん、歌わんのん？」

冗談じゃない。

「せっかく来たんじゃから、歌うていけばええのに。通信じゃけん、新譜もぎょうさん入っとるよ」

「遊びに来たわけじゃないの！」

「ほな、お姉ちゃん、なにしに来たん？」

あっけらかんと訊《き》いてくる。子どもの頃からなにも変わらない、タカツグ独特ののの

んびりしたペースだ。

レイコさんも肩から力が抜けてしまって、ロビーの椅子にへたり込むように座った。

「でも、お姉ちゃん、元気になってよかったよ。俺もずっと心配じゃったけんね」

のんきなぶん、タカツグは無邪気に優しい。そこが、キミ婆はじめ親戚一同の年寄り世代に受けがいい理由でもあった。

一方、レイコさんは、そういう言葉を不意にかけられるとリアクションに困ってしまうタイプである。

「……よけいなお世話」

そっぽを向いて、ため息をつく。

帰郷して以来二週間ぶんのショックと、あきれはてた思いが溶けた、深い深いため息になってしまった。

本格的な外出は、帰郷してから初めてのことだ。ずーっと、家の近所を散歩する以外は自分の部屋にこもりきりだった。高校時代まで使っていた古びた勉強机に向かって、手当たり次第に東京から持ち帰った受験問題集を解いていった。

家族はみんな、東大入学の夢破れたショックが尾を引いているせいだろう、と思い込んでいた。「しばらく、そっとしといちゃろう」「ゆっくり休めばええんじゃ、いままで必死に勉強してきたんじゃけえ」「レイちゃんのこれからのことは、まあ、ぼちぼち考えてやろうや」「そうじゃそうじゃ、もう、あの子もどこにも行きゃあせんのじゃけえ」……。

なにもわかっていない。

悔しかった。腹が立ってしかたなかった。自分自身のことも吹き飛ぶほど、『ウッド・フィールズ』のことがショックだった。

カラオケボックスを開いて、タカツグに店を任せよう——。

このとんでもないアイデアを発案したのは、珠代さんだった。

タカツグを故郷に引き留めるには、「田舎は就職先がないから都会に出る」という口実を封じなければならない——。

その狙いをすぐさま理解して話に乗ったのは、キミ婆だった。

森原家において、キミ婆と珠代さんがタッグを組んだら、もはや逆らう者は誰もいない。婿養子の達爺《じい》や珠代さんの尻《しり》に敷かれどおしの隆造さんが唖然《あぜん》とした顔を見合わせているうちに、話はとんとん拍子に進んだ。キミ婆は国道沿いに持っていた自分名義の土地を提供し、珠代さんは定期預金を解約して開業の資金を用立てた。

そして肝心かなめのタカツグには、話の段取りがすべて整った段階で初めて、「なあ、タカちゃん、あんたバイトしたい言いよったなあ。ええ仕事、お母ちゃんとおばあちゃんが見つけてあげたけんなあ」……。

めちゃくちゃな話だ。そんな話に「俺、店長かあ、カッコええなあ」とあっさりうなずいてしまうタカツグもタカツグだ。

問題集を解きながら、レイコさんはひたすら腹を立てていた。皮肉なことに、本番の受験前には歯の立たなかった難問も、やつあたり紛《まが》いに数式を強引に書き並べているうちに、厚い壁にポカッと穴が開くように正解へと至る。怒りをパワーにする勉強というのも意外と「あり」かもしれない。いまになってそれに気づいても、もう遅いのだけど。

思いっきり不機嫌な日々を過ごしているうちに四月も半ば近くになった。

明日の金曜日から日曜日まで、鶴山市の城址《じょうし》公園では『桜まつり』が開かれる。東京より八百キロ西にあるのに、桜の見頃は一週間ほど遅い。冬がしぶとく居座る気候のこの地域にとって、鶴山城址の『桜まつり』は、NHKのローカルニュースふうに言うなら「待ちに待った本格的な春の訪れを告げる」イベントだ。

さすがに、これ以上家の中に引きこもっているわけにはいかない。用済みの受験問題集をいくら解いていても、前には一歩も進めないのだ。

今日、昼前に起き出して、ようやくそんなふうに思った。自分で自分を奮い立たせるように部屋をしっかり掃除して、熱いお風呂《ふろ》に入った。

家の裏の納屋から高校時代に使っていた通学用のママチャリも出した。フレームに張った蜘蛛の巣《くもす》を取り、タイヤに空気を入れ直して、夕方、そろそろタカツグが学校帰りに店に出ているはずの『ウッド・フィールズ』に向かった。

店ができてしまったいまとなっては、キミ婆や珠代さんを説得できるとは思わない。ただ、タカツグは、まだ間に合う。バイト感覚ではすまない事態の重さをしっかりと説明してやれば、いくらのんきなヤツでも「ヤバいなあ」と気づくはずだ、と信じていたのだ。

甘かった。

つくづく思い知らされた。

タカツグには「事態の重さ」の「重さ」の感覚すら、ピンと来ていなかったのだ。

ロビーに漏れてくる個室の歌声が、変わった。声量はじゅうぶんだが音程がめちゃくちゃな――珠代さんの歌だった。

「母ちゃん、ほんまに下手なんよ。ここで聴いとるだけで恥ずかしいわ」

「何人で来てるの？」

「五人かな。今日は少ないほうなんよ」

タカツグが下手くそな字で書いた予約ノートには、〈梅郷うたごえクラブ〉とある。

カラオケボックス開店に合わせて、珠代さんが婦人会有志とともに結成した。いずれは「歌の町・梅郷」を町のキャッチフレーズにして、町民文化センターで氷川きよしとジョイント・コンサートを開くのが夢なのだという。

タカツグが学校に行っている時間は、副店長の珠代さんが店を見る。タカツグと店番を代わったあと、キミ婆と一日交代の食事当番が休みの日には、こうして陽がとっぷりと暮れるまで歌いまくるのだ。

「けっきょく、おばちゃん同士のたまり場になってるだけなんでしょ」

「そいでも、こげんしてお客さん連れてきてくれるんじゃけん」

「……自分が歌いたいだけなんだってば、あのひとは」

つい、言葉がキツくなる。

タカツグは「お姉ちゃん、変わらんなあ」と笑った。「ほんま、ウチの女衆は仲が悪いんじゃけん」

「女衆」などという言葉がさらっと出てくるところが東京の高校三年生との最大の違いなのだが、それはともかく、タカツグの言うことは確かに正しい。

森原家の女衆三世代――キミ婆と珠代さんとレイコさんの関係は、フクザツだ。いがみ合っているというわけではないのだが、なにかいつもお互い張り合ってしまう。三人とも気が強く、負けず嫌いで、「負けたくない」と思う方向がそれぞれ違っているのが、幸いなのか不幸なのか、致命的な正面衝突は起きないかわりに、出会い頭の接触事故のような小さないさかいはしょっちゅうある。

タカツグはカウンターの奥の小さな厨房《ちゅうぼう》に入って、「ジュース飲む？」とレイコさんに訊いた。

「うん……じゃあ、オレンジジュース」

「毎度ありがとーございまーす」

「ちょっと、なに、お金とるの？」

「店のものなんじゃけん、あたりまえじゃろ。なあなあでやっとったら、商売はやっていけんよ。そこのケジメはきっちりつけさせてもらうけん」

「……生意気なこと言っちゃって」

「あ、でも、お姉ちゃんは身内特別価格で二百円でええけんね。そのかわりストロー無しじゃけん」

紙パック入りのオレンジジュースを、氷をやたらと入れたグラスに注ぐだけで、定価三百五十円。アコギな商売だ。東京のカラオケボックスでも似たようなものだとは思っても、それを家族がやっているとなると、あまりいい気分はしない。

グラスと引き替えに、二百円渡した。

タカツグはそれをジーンズのポケットに入れる。「レジ使わなくていいの？」と驚いて訊《き》くと、とぼけた顔で「面倒くさいけん」と笑って、伝票に記入すらしない。

「ほんとに、いいかげんなんだから……」

「それより、キミ婆がぶつくさ言うとったで、お姉ちゃんのこと」

「なにが？」

「帰ってきてから、まだいっぺんもお墓に行っとらんじゃろ。お墓に参らんうちは帰ってきたことにならん、って怒っとった」

はいはい、とレイコさんは肩をすくめる。いつものパターンだ。御年七十六歳のキミ婆がなによりもたいせつにしているのは、「森原家」。ご先祖さまを敬い、家名を汚さないよう言動を慎んで、本家分家を尊んで、一族郎党親しく仲良く、森原家のいやさかのために日々を精進せよ……というひとなのだ。

ジュースを飲み終えた頃、個室のドアが開いて、汗びっしょりの珠代さんが出てきた。「あー、しんど。百恵ちゃんの歌は低音を効かせんといかんけん、くたびれるわ」

太った体を揺すってカウンターの中に入り、よっこらしょ、とおなかをねじ込むように厨房に入って、冷蔵庫のドアを開ける。カルピスウォーターをグラスになみなみと注いで、一気飲み。お金を支払うそぶりなんて、なにもない。タカツグも、ま、どうでもいいや、という顔で無料サービスののど飴《あめ》を口の中に放り込むだけだ。

商売のレベルじゃないなあ……とあきれるレイコさんに、珠代さんは「レイちゃん、ちょっといまから部屋に行って、皆さんに挨拶《あいさつ》しんさい」と言った。「あんた、まだご近所の挨拶回りもなんもしとらんのじゃけん」

「そんなのいいじゃん、べつに」

「なに言うとるん、こそこそ帰ってきたいうたら、ご近所も声をかけるにかけれんじゃろ。これからいろいろお世話になるんじゃけん、ちゃんと挨拶しときんさい」

あとでね、あとで、と話をいなした。

これもまた、いつものパターンだ。二十四歳で隣町からお嫁に来て、はや四半世紀。人生の半分以上を過ごしてきた梅郷町にすっかり馴染《なじ》んだ珠代さんは、鶴山市に勤めに出ている隆造さん以上にどっしりと町に根を下ろして、なにをおいても「ふるさと」志向。梅郷の自然を愛し、人情を愛し、ふるさとの明るい未来のために町民みんなでがっしりスクラムを組んでがんばりましょう……というひとなのだ。

キミ婆が血縁なら、珠代さんは地縁。その二つの世界が交差するところに、跡取り息子のタカツグがぼーっとした顔で立っているのである。

珠代さんが個室に戻ると、レイコさんは再びカウンターに身を乗り出した。

「ねえ、タカツグ」

「うん？」

「あんた、ほんとにいいの？　こんなお店押しつけられちゃって。一生、梅郷から逃げられなくなっちゃうんだよ」

タカツグは、やれやれ、というふうに苦笑して、言った。

「……俺、お姉ちゃんとは違うけん」

ぼそっとした、聞き取りづらい声だった。

レイコさんは黙ってタカツグから目をそらした。高ぶりかけた感情が、急に落ち込んでしまった。

タカツグもそれ以上はなにも言わず、口の中ののど飴を歯にぶつけて、カチカチと音をたてるだけだった。


夕暮れの町を、ママチャリで走った。町を囲む山並みがシルエットになっているせいか、茜色《あかねいろ》に染まった空が、天のてっぺんに向かって吸い上げられたように高く見える。

午後五時半過ぎ。東京なら空は暗くなっている頃だが、西にあるぶん日没の遅いこの町では、まだ畑仕事をしているひとがたくさんいる。

三月から四月にかけてのこの時季は、町なかを少しはずれるだけで、牛フンの肥料の甘く焦げたようなにおいが鼻を刺す。田んぼの土手を野焼きするのは三月いっぱいまでで終わったが、枯れ枝を焼く焚《た》き火の煙が幾筋もたちのぼっている。

レンゲの咲く田んぼは、赤紫色のじゅうたんを敷き詰めたようにきれいだ。仕事を終えて帰宅してから農作業に出ているのだろう、こんな時間になって耕耘機《こううんき》が動きだす田んぼもある。

懐かしい。

レイコさんも、それは素直に認める。

だけど、「懐かしい」ってのと「好き」ってのは違うんだからね……。

ペダルを踏み込みながら、自分に言い聞かせるように、思う。

さっきのタカツグの一言になにも返せなかった沈黙が、いまになって重く背中にのしかかってきた。

お姉ちゃんとは違う——あたりまえだ。性格も違う。頭の出来も違う。なにより、男と女では、すべてが違う。

レイコさんは子どもの頃から、森原家ご自慢の優等生だった。それでも、「ウチのレイコは勉強がようできるし、しっかりしとるけん」とキミ婆が鼻高々に言う、そのあとには必ずこんな言葉がつづくのだ。

男と女が逆じゃったらよかったんじゃけどねえ……。

女のままで頭が良くてはいけない、らしい。

女のままでしっかりしていてはいけない、らしい。

「おばあちゃんは考えが古いけんねえ」と笑う珠代さんにしたって、口癖は、こうだ。

「これからの梅郷を支えるんは女じゃけんね、女がしっかりせんと、いつまでたっても梅郷の町は変わらんのよ。ふるさとは女のひとがつくるんよ。だって、そうやろ？　子どもを産んで育てるんは、うちら女なんじゃけん。お母さんらもがんばるけど、レイちゃんらがそれを引き継いでくれんと意味ないんよ」

ふるさとを出ていったきり帰らないという選択肢や、子どもを産まないという選択肢は、はなっから頭の中にはない。それがレイコさんをムッとさせてしまい、励ましの言葉のつもりだった珠代さんは、「レイちゃんも扱いづらい年頃じゃけん」と婦人会の仲間に愚痴るのだ。

畑の間を縫うように延びる道は、ゆるやかな上り坂にさしかかった。ペダルが少し重くなる。息を詰め、おなかにグッと力を込めてペダルを強く踏み込んだ、そのとき――。

「レイちゃん、帰ってきたんやてなあ」

道の脇の畑からおばさんに声をかけられて、あわてて自転車を停めて畑のほうに目をやった。薄暗さと、日除《ひよ》け付きの頭巾《ずきん》をかぶっているせいで、顔がよく見分けられない。

だが、おばさんがこの町のひとだというのは確かで、キミ婆や珠代さんの顔が広いぶん、この町では「レイコさんの知っているひと」よりも「レイコさんを知っているひと」の数のほうがはるかに多いのだ。

自転車から降りて、「ごぶさたしてました」と頭を下げた。義理だけ果たすと、そのままサドルに座り直して立ち去ろうとしたが、おばさんは「ちょっとちょっと、レイちゃん」と長靴をどたどたさせて、あぜ道を小走りに追ってくる。

「レイちゃんも大きゅうなったなあ、ほんま。このまえ会うた頃は、まだ小学生になったばっかりやったのに」

恐るべし、ふるさと。二十一歳のレイコさんと小学一年生のレイコさんが、昨日と今日の関係のようにくっついている。

レイコさんは、間近に見ても名前を思いだせないおばさんにせいいっぱいの愛想笑いを浮かべ、「いつも家の者がお世話になっております」と優等生ならではの一言を添えた。

「なに言うとるんよ、おばちゃんら、もう、キミさんにはお世話になりっぱなしなんじゃけん」

キミ婆の知り合いなんだな、と半歩前進。

「このまえもなあ、珠代さんのカラオケボックスに寄せてもろうたんよ。ほんま、梅郷にも名所ができたなあいうて、みんなで喜んどるんよ」

珠代さんの知り合いでもあるんだな、とさらに半歩前進。今日はそれくらいでいいか、と逃げ腰になって「それじゃあ」と会釈してペダルに足をかけた。

だが、おばさんの本題は、ただの挨拶ではなかった。

「それでなあ、レイちゃん、あんた野上さんとこの娘さんと同級やったよなあ」

イネちゃんのことだ。

「このまえから田舎に帰ってきとるんよ、娘さんが、子ども連れて。ダンナさんの顔はまだ見んのじゃけど、どげなひとか、レイちゃん、知っとる？」

暗がりのなかでも、おばさんの小さな目が好奇心で光っているのがわかる。

これだ。これが、ふるさとの怖さだ。

「すみません、よくわかんないんです」と必死にごまかして、おばさんの目の光がレイコさん自身に注がれる前に、「じゃあ、どーも、またぁ」とペダルを踏み込んだ。

後ろを振り返らずに坂を一気に上りきって、やっと一息つくと、鶴山の駅前で別れたときのイネちゃんの後ろ姿が、暮れなずむ空に浮かんだ。

イネちゃん、東京って、やっぱり気楽だったよね……。

声に出さずにつぶやいた。空に浮かぶイネちゃんの幻が、クルッとこっちを振り向いた。笑っている。悪くない笑顔だった。

梅郷にいた頃はタイプが違いすぎて付き合いはほとんどなかったし、東京でばったり出くわしても、きっと仲良くはなれなかっただろう。それでも、いまなら、もしかしたらイネちゃんと友だちになれるかもしれない。

あらためて、ペダルを強く踏み込んだ。自転車のライトを点《つ》けて、家の方角に向かって交差点を左に曲がる。

東の空に、星が瞬いていた。

でも、東京だって、意外と星はきれいに見えたんだからね……。

誰でもない誰かに、教えてやりたかった。

4

初日の金曜日は寒の戻りのような冷え込みに見舞われ、つづく土曜日は午後から雷交じりの雨になって、今年の『桜まつり』はなかなか盛り上がらない。ただ、人出が伸びないのは天気のせいだけではなかった。もともと鶴山市役所の予想では三日間で二万人程度で、十万人以上のひとが訪れていたというレイコさんの幼かった頃とは比ぶべくもない。

最終日——日曜日の朝は、ようやく春めいた青空が広がった。鶴山市の方角から花火の音も聞こえてきたが、昨日の雨で桜はだいぶ散ってしまっているだろう。

森原家の面々も、お祭りとは無関係に日曜日の予定を立てていた。

達爺《じい》は朝早くから弁当を提げて、タケノコを掘りに裏山に登った。隆造さんが家を出たのも夜明け前だった。会社の釣り仲間と一緒に日本海まで出かけて、石鯛《いしだい》を狙うのだという。『ウッド・フィールズ』の開店は正午。昼前まで寝ていたタカツグは食事もそこそこに店に向かって……昼食は居残ったオンナ三人でとることになった。

「昔はお祭りいうたら、鶴山も梅郷も町じゅう浮き立っとったもんじゃけどなあ」

キミ婆は、ゆうべの夕食の残りの赤飯を蒸し器で温め直しながら、寂しそうに言った。超音波を浴びると体に良くないから、とまったく間違っている俗説を信じて、電子レンジは決して使わない。ついでにお祭りの日には赤飯を炊かなければ気がすまないのも、昔から。

「お城山の桜の木も歳をとったけん、花の咲き方も昔ほどじゃなくなったしねえ」

珠代さんがお吸い物の味を見ながらなにげなく言うと、キミ婆の顔に一瞬、不機嫌そうな皺《しわ》が走った。老いる、歳をとる、枯れる、ぼける——キミ婆の前では禁句が多い。

珠代さんは隣でカレイの干物を焼くレイコさんを肘《ひじ》でつついて、キミ婆にはばれないよう、ぺろりと舌を出す。禁句を小出しに、ジャブのように軽くキミ婆にぶつけるのが、珠代さんのささやかな楽しみなのだ。

「レイちゃん」キミ婆が言った。「あんたは『桜まつり』に行かんの？」

「うん……面倒くさいもん……」

あいまいに首をかしげて答えると、横から珠代さんが「高校の同級生に会うんが恥ずかしいんよ、この子」と笑う。「そんなこと気にしとっても、しょうがないのに」

珠代さんは、しっかり者のぶん、デリカシーに欠けるところがある。ただし、言っていることは間違っていない。そこが悔しい。

キミ婆はレイコさんに目をやって、「そうなん？」と訊《き》いた。少しおっかない顔になっていた。「ご先祖さまに恥ずかしい」が口癖のキミ婆は、誇り高いばあさんだ。孫娘が東大合格の夢破れて帰郷したことよりも、それを気にしてこそこそ日陰を歩くことのほうを「ご先祖さまに恥ずかしい」と見なすひとでもある。

「……面倒くさいだけ」

レイコさんはそっぽを向いて答え、カレイの干物を皿に移すと、そのまま居間に向かった。その背中に、珠代さんのあきれた声が追い討ちをかける。

「会うたらええんよ、みんなと。『受験いけんかったんよお』って笑うたら、もうそれですむことなんやから」

よけいなことばかり言う。デリカシーのない正論というのは、どうしてこんなにうっとうしいのだろう。

それでも確かに、いつまでもこうしてはいられない。どこかできっちりと東大への未練や恥ずかしさを断ち切らなければ、先に進めない。

理屈ではわかっていても、体が動かない。心が前を向いてくれない。だいいち「先に進む」という、その「先」は、いったいどこにあるのだろう……。

オンナ三人、ちゃぶ台を囲んで昼食をすませた。午後から『ウッド・フィールズ』の手伝いをする珠代さんは、さっさと自分の皿を片づけて、車で出かけた。身支度をするときの鼻歌は山口百恵メドレー。店の手伝いは口実で、どうせまた〈梅郷うたごえクラブ〉のメンバーと夕食時までカラオケなのだろう。

レイコさんはキミ婆と二人で、食後のお茶を啜《すす》る。

「ええ天気じゃなあ、ぽかぽかして、今日はぬくいわ」

「そうだね」

「ヒバリが鳴きよる」

「うん……」

「レイちゃん、梅干し入れんのん？」

「一個入ってるから、もういいよ」

「もっと入れればええが」

「……酸っぱくなるからいいってば」

食後のお茶に小梅の梅干しを入れるのが、キミ婆の健康法だ。エキスが滲《し》み出やすいよう爪楊枝《つまようじ》で表面に穴をあけた梅干しを、湯呑《ゆの》み茶碗《ぢゃわん》に一つ、二つ、三つ、四つ……梅干しの数が多ければ多いほど効き目がある、と信じている。

「お魚のスープ、レイちゃんはほんまに飲まんのか？」

「うん……いらない」

「カルシウム、ぎょうさんあるんよ？　すぐに作ってあげるけん、あんたも飲みんさい」

「いらないって、ほんと、だいじょうぶ、牛乳飲んでるから」

食事に焼き魚や煮魚が出たときは、残った骨をご飯茶碗に集めて、熱々のお湯をかける。キミ婆特製の、お魚のスープだ。骨についた身を丁寧にほぐして食べれば無駄がないし、お湯をかければ骨のカルシウムが滲み出してくる、らしい。

「カルシウムが足りんと、イライラしてくるけん、ちゃんと牛乳飲まんといけんよ」

妙なところで正しい知識も、ある。

「やっぱり、お魚のスープ、あんたのも作ってあげよう。若い女の子はみんなカルシウムが足りんのじゃけん。若いうちにしっかりカルシウムを摂《と》っとかんと、骨が弱うなって、あとで困るけんね」

お魚のスープは生臭くて苦手なレイコさんは、お付き合いで梅干しを一つだけ入れたお茶を啜って、そっとため息をついた。

キミ婆は、自分の考えや行動に揺るぎない自信を持っている。迷いがない。ためらいもない。「梅郷ほどええ町は、ニッポン中、どこを探してもありゃあせんよ」と胸を張り、「都会に住んだら、ひとの情を忘れてしまうんじゃけん」と断言して、「女の子は働き者の旦那《だんな》さんに嫁いで、嫁に行った先でかわいがってもろうて、子どもをぎょうさん産んで育てるんが幸せなんじゃけんね」と真顔で言い切る。それが、なによりの健康の秘訣《ひけつ》なのかもしれない。

梅干し茶とお魚のスープを飲み干したあとは、コップ一杯の青汁と、サメの軟骨エキスとイチョウ葉エキスとローヤルゼリー。「これで三日、寿命が延びた」と満足顔で笑ったキミ婆は、ふと思いついたふうにレイコさんを振り向いて言った。

「お祭り、ばあちゃんと行くか？」

「はあ？」

「ばあちゃんも一人で鶴山まで行くんは大儀やけど、レイちゃんを連れていくんなら、ええわ」

連れていってもらう――ではないところが、キミ婆の強気なところだ。

それでいて、つづく言葉は一転、お芝居めいた遠いまなざしで、か細い声に変わる。

「ばあちゃんも、今年の桜が見納めかもしれんけん……」

「まだ七十代じゃない」

「ほいでもわからんで、転んで足の骨でも折ったら、もう寝たきりなんじゃけん」

「だからお魚のスープ飲んでるんでしょ？」

「屁理屈《へりくつ》はええけん、早う自分のスープ飲んで、着替えてきんさい。こげん天気のええ日に朝から晩まで家におったら、あんた、ほんまに病気になってしまうで」

最後の一言が、胸に響いた。顔を上げ、目が合いそうになると、キミ婆は顔の皺《しわ》をギュッと縮めたしかめつらになって、そっぽを向いた。

「あんたに寝込まれたら、ばあちゃんが看病で往生するんじゃけえ」

レイコさんは苦笑交じりに「そうだね」と息だけの声で言った。

子どもの頃のことを、ふと思いだした。通学路でヘビを見つけて、泣きながら家に引き返したことがある。キミ婆が学校まで連れていってくれた。「ばあちゃんは若い頃、ヤマタノオロチを退治したこともあるんじゃけん」と大ボラを吹きながらレイコさんの手をひくキミ婆の手は、ごつごつして、厚ぼったくて、ちっともオンナらしくなかったけれど、温かくて、頼もしかった。

「ほら、早うスープ飲みんさい。すぐにタクシー呼ぶけん」

レイコさんは黙ってうなずいて、お魚のスープを一息に飲み干した。

『桜まつり』は、鶴山市の中心部にある小高い丘――「お城山」と呼ばれる城址《じょうし》公園で開かれている。石垣が三層になった公園には桜が数百本植えられ、満開の時期は、お城山ぜんたいがピンク色に染まる。

だが、覚悟していたとおり、昨日の雨で桜はほとんど散り落ちていた。水たまりもあちこちに残っているので、シートを敷いて宴会をすることもできない。散歩がてら桜を見て、そのまま帰る、至極あっさりしたお花見だ。

キミ婆も拍子抜けしたように、「昔は三日三晩飲みつづけとる若い衆もおったんじゃけどなあ」と言う。

「べつにお花見じゃなくても、ほかに面白いことといっぱいあるからね」

こういうときに妙に分別くさく答えてしまうところは、自分でも好きではないのだが。

「東京はどうじゃった？　もう、毎日がお祭りじゃろう？」

「うん……渋谷《しぶや》とかね、そんな感じだったけど、わたしはぜんぜん関係なかったな」

「東京タワー、登ってみたん？」

苦笑して、かぶりを振った。

「レイちゃん、綿菓子でも買うてあげようか」

「ううん、いい」

「リンゴ飴《あめ》もあるで。あんた、こまい頃から好きじゃったろう」

「いいよ、ほんと、おなかいっぱいだから」

いつまでも子ども扱いされるのが、くすぐったい。珠代さんが外で仕事をしたり会合に出席したりすることが多かったぶん、ものごころついた頃からキミ婆がいつもそばにいた。東大に受かったら、富士山から東には行ったことがないキミ婆を東京に招待して『はとバス』に乗せてあげよう、と心ひそかに決めていた。だが、それはもう、はかなく消えた夢になってしまった。

祭りのメイン会場は、石垣のてっぺん、江戸時代には天守閣があった広場だった。特設ステージもある。新聞に入っていた折り込み広告によると、今日は歌謡ショーと特撮ヒーローショーが開かれるらしい。

メイン会場に向かう長い石段を登った。キミ婆の背中を軽く押しながら、レイコさんは言った。

「ねえ、おばあちゃん」

「うん?」

「三浪もして東大に行けないのって、やっぱり情けないよね……」

「そんなことありゃあせんよ」振り向かずに言う。「じいちゃんもばあちゃんも、昔の小学校までしか出とらんのじゃけん」

「でも……」

「人間は、元気で健康がいちばん。それだけよ、ばあちゃんが願うとるのは」

風に乗って桜の花びらが舞い落ちる。

鶴山の町並みが眼下に広がる。高いビルがほとんどない小さな盆地の町だ。NTTの電波塔がやけに目立つ。市役所の屋上に掲げられた〈たばこは市内で買いましょう〉〈青色申告納税の都市宣言〉の看板は、たしかレイコさんが生まれる前からそこにあったはずだ。

市役所の少し先に、学校の建物が見える。レイコさんが卒業した県立鶴山高校だ。藩校からの歴史を持つ名門校の、レイコさんは自他ともに認める優等生だった。ひさびさに現役で東大に合格しそうな生徒が出た、と教師はみんなレイコさんに期待していた。その期待に応《こた》える自信もあった。「期待」と「自信」がまとめて「現実」の壁の前に叩《たた》き伏せられたようなものだ。

「なあ、レイちゃん。上まで登ったら、甘酒でも飲もうか。あんた、甘酒も好きやったからなあ」

そうだったっけ、わたしが好きなのは夏の冷やし飴だったんだけど……と口に出すのもヤボな気がして、黙ってうなずいた。

キミ婆の背中を押す。昔よりずいぶん小さくなったんだな、とあらためて気づいた。

メイン会場の特設ステージでは、特撮ヒーローショーがクライマックスを迎えていた。お花見にはなんの関係もないイベントだったが、ベンチを並べた客席は親子連れでほぼ満席だった。

「けっこう若いひともいるじゃん……」

思わずつぶやいた。人口十万人足らずの小都市とはいえ、年寄りだらけの梅郷に比べると、やはり活気がある。

あたりを見まわしてみた。知った顔はない。それはそうだよね、とため息が漏れる。

高校時代の同級生はほとんど大学に進学して、町を出ていった。現役で受かっていれば四年生、一浪なら三年生、二浪なら二年生、三浪なら一年生……「受験生」のままの同級生は誰もいないだろう。しかも、いまのレイコさんは志望校を失った「受験生」なのだ。

「あー、しんど」

キミ婆は客席の最後列のベンチに腰を下ろし、ハンカチで汗を拭《ふ》いた。

「膝《ひざ》とか腰とか、痛いんじゃないの？　だいじょうぶ？」

「平気平気、これくらいで音をあげとったら、森原の家を守れりゃせんよ。それよりレイちゃん、気持ちよかろう？　たまには外に出て、深呼吸せんといけんのよ」

確かにそのとおりだった。うっすら汗ばんだ頰を撫《な》でる春の風が気持ちいい。

「甘酒飲もうか、おばあちゃん」

素直に声が出た。広場の隅に設けられた茶店を指差して、「ちょっと買ってくるね」と歩きだした、そのとき――。

「レイコ！　レイコ！　やっほー！」

ハスキーな声が後ろから聞こえた。

振り向くと、麗央くんを抱っこしたイネちゃんが、笑っていた。

そのまわりには見覚えのある顔が、男女合わせて、数人。みんなイネちゃんと同じように髪を金色に染め、眉《まゆ》を剃《そ》ったり耳にピアスを光らせたりしている。

思いだした、鶴山商業や鶴山工業の卒業生だった。市内で就職したのか、もしくはプータローなのか、とにかく地元に残った連中なのだろう。

ひさしぶり、とイネちゃんに挨拶《あいさつ》だけ返して、そのまま知らん顔していようと思ったら、地元組の男の一人がキミ婆に気づいて、「あれぇ？　森原のおばあちゃんですかぁ？」と言った。

キミ婆も「あらぁ、どうしたんヒデちゃん、偶然やねえ」と親しげに笑って、レイコさんに教えてくれた。『ウッド・フィールズ』を建てた工務店の若い衆なのだという。

キミ婆の知り合いはヒデだけではなかった。梅郷の町役場に勤めるジュンコさんも、鶴山第一病院の看護師さんのメグちゃんも、宅配便のドライバーのケンイチも、みんなキミ婆を見て「どーも、どーも」と会釈をする。

「ウチの孫も梅郷に帰ってきたけんなあ、あんたらに仲良うしてもらわんといけんのよ。これからよろしゅうお願いしますなあ」

キミ婆は、わざわざベンチから立ち上がって、びっくりするぐらい丁寧におじぎをした。

レイコさんも、あわてて頭を下げた。

意外だった。キミ婆……というより、お年寄りが付き合うのはお年寄りだけで、若い連中とは接点がほとんどないんだと思い込んでいたし、お年寄りは「いまどきの若い者」が嫌いなんだと決めてかかっていた。

田舎の人間関係は、予想より奥が深く、幅も広い。

イネちゃんにしたって、鶴山高校の定時制の二年生に進級する前に家出したのだから工業や商業の友だちなんていなかったはずなのに、帰郷して一カ月足らずで、すっかり地元組に馴染《なじ》んでいる。

高校時代は駅前で出くわしても目を合わせないようにしていた地元組も、ひさしぶりに会うと、そんなに柄の悪そうな感じではなかった。キミ婆も金髪やピアスを怖がっているふうには見えない。みんなオトナっぽくなった。愛想が良くなった。キミ婆とのおしゃべりもはずんでいる。自分と同い歳で、自分よりずっと出来の悪かった地元組が、おばあちゃんと世間話を楽しめるなんて……なんだか、自分だけがルールを知らないゲームを、みんなで楽しんでいるような気がした。

特撮ヒーローショーが終わると、キミ婆はみんなを茶店に連れていって、「あんたらはもうコーラいうわけにはいかんのじゃろ?」と笑って、ビールをごちそうしてくれた。

レイコさんも飲んだ。みんなに背中を向ける格好で、グビッ、と。わたし一人のときには子ども扱いして甘酒だったのに……と思って啜《すす》るビールは、ふだんの味より苦かった。

歌謡ショーの準備が整うまでの間、カラオケ大会をおこないまあす、飛び入り歓迎、皆さまふるってご参加くださあい、と場内アナウンスが伝える。

イネちゃんたちは『ウッド・フィールズ』のことをおしゃべりしている。地元組はみんな常連で、イネちゃんもおとといの夜、麗央くんと一緒に歌ったらしい。

「タカツグくんも大きくなって、カッコようなりましたよねえ」とイネちゃんが言うと、キミ婆も嬉《うれ》しそうに「男の子じゃけん、ちょっとはしっかりしてもらわんと」と笑う。

面白くない。ビールが苦い。泡がとがって、喉《のど》をチクチクと刺す。ひさしぶりに童心に返ってキミ婆に甘えるつもりだったのに、オトナになりきれない自分を思い知らされてしまった。

もともとお酒は弱い。ふだんの適量は缶ビールを半分。Lサイズの紙コップを満たした生ビールは、明らかにリミットを超えていたが、かまわず飲んで、飲んで、飲んで……最後は、グググーッと喉の奥に苦みを押し込むようにして、飲み干した。

地元組の拍手と歓声にふと我に返ると、ステージにはイネちゃんがいた。曲は、郷ひろみの『男の子女の子』――それを替え歌にして、踊りながら歌っている。

「きみたち田舎の子、ぼくたち都会の子、へへへィ、へへへィ、おいで遊ぼう……」

「田舎の子」のところで地元組を指差して、「都会の子」で自分の胸を差す。とんでもない替え歌だったが、地元組も、ベンチに座るひとたちも、大喜びして声援を送っている。

昔からそうだった。イネちゃんは、いろいろヒンシュクを買いながらも、妙に人なつっこくて、みんなから好かれていた。「華がある」というやつだ。レイコさんは子どもの頃からそれが不思議で、悔しくて、世の中は理不尽だとさえ思っていた。学級委員の選挙では圧倒的多数に支持されても、遠足のバスで隣に座りたい子の投票をしたら、たぶんイネちゃんには惨敗してしまうだろう。

イネちゃんが置いていった紙コップをつかんだレイコさんは、残っていたビールを一気飲みした。

イネちゃんは気持ちよさそうに歌い終えて、地元組の拍手に迎えられて茶店に戻ってきた。麗央くんを膝に抱いたキミ婆も、「イネちゃんは、こまい頃から歌が上手《うま》かったけんなあ」とすっかりご満悦だった。

「次の方、誰かいらっしゃいませんかあ?」

司会者がステージから呼びかけた。

「レイコ、歌うてよ」

イネちゃんは早口に言って、レイコさんの返事も待たずに「はいはいはーい! 歌いまーす!」と手を挙げた。

ふだんなら、誓ってもいい、絶対に歌わない。どんなに場が白けてしまおうと、嫌なものは嫌だ。

それでも、いまのレイコさんは酔っている。悪酔い気味になっている。

立ち上がった。足元がふらついた。あわてて肩を支えようとするイネちゃんの手を振り払って、ステージに向かって歩きだした。

リクエストは――イネちゃんと同じ『男の子女の子』。

「きみたち田舎の子！」

シャウトして、客席を指差す。

「ぼくたち都会の子！」

声を裏返らせて、自分を指差す。

ぜんぜんウケなかった。冷たい視線を浴びた。怒りだすひともいた。うんざりした顔が、あっちにも、そっちにも、こっちにも。

五分後、がっくり落ち込んでステージを降りたレイコさんに、キミ婆は不機嫌きわまりない声で言った。

「レイちゃん、あんたはもうお酒を飲んだらいけんで」

わけもわからず拍手してくれたのは、麗央くんだけだった。

第二話　泳げ、こいのぼり

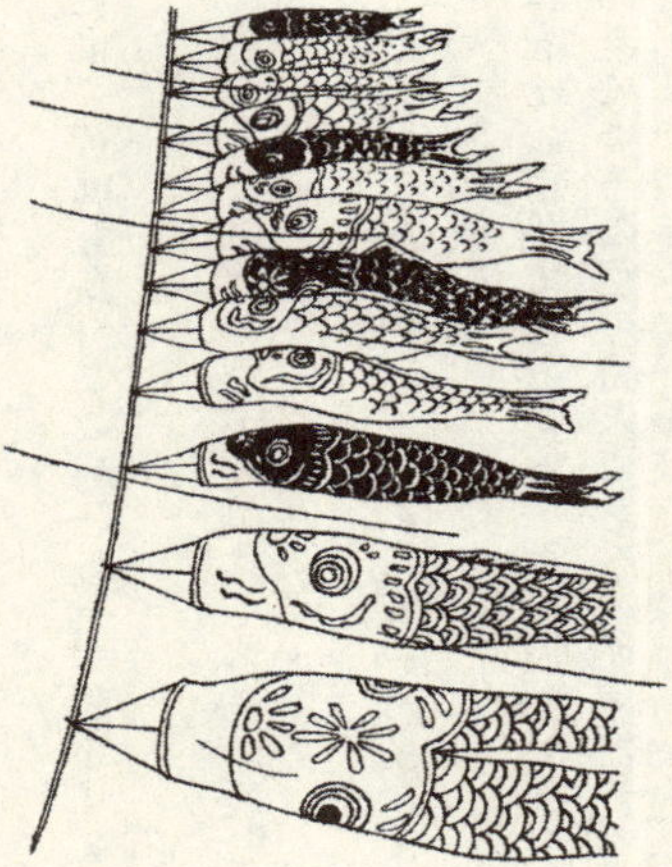

1

五月の連休前、梅郷の町は一年でいちばん広々とする。町じゅう、数えきれないほどの鏡が地面に並んで、風景が倍になる。

「ほいでも、昔に比べたら数はだいぶ減ったよ。昔はもう、ここからあそこまで、みーんな鏡じゃったんじゃけえ」

達爺《じい》は煙草を持った右手を大きく振って、寂しそうに笑いながら「レイちゃんが生まれる前の話よ」と付け加えた。

煙草の火がおっかなくて一歩あとずさったレイコさんは、とりあえず「そうだよね」と話を合わせて、目の前の風景をあらためて眺め渡した。

鏡——。達爺はいつも、田植え前の田んぼをその言葉でたとえる。水を張った田んぼに空や山や夕陽が映り込むのを鏡になぞらえているのだ。詩人である。ロマンチストである。宮沢《みやざわ》賢治に心酔している達爺なのである。

「今日は風もないけん、ほんま、きれいに山が映っとる」

あぜ道に座り込んだ達爺は、そう言って、気持ちよさそうに煙草の煙を吐き出した。

あぜ道には釣りのときに使う小さな折り畳み椅子が置いてあったが、そこはレイコさんに譲るつもりなのだろう。

もっとも、レイコさんは椅子の後ろに突っ立ったままだった。キャンバス地の布を張った座面に、乾いた泥がこびりついている。膝《ひざ》の色が抜けたジーンズを穿《は》いていても、そういう場所には座れない。よく言えば、きれい好き。悪く言うなら、神経質。農村には最も不向きなタイプなのだ。

達爺はレイコさんが自転車で持ってきた弁当の袋を覗《のぞ》き込み、中にカップ酒が入っているのを見て、「気が利くのぅ」と笑った。

「おばあちゃんが『持ってけ』って」

レイコさんが種明かしをすると、拍子抜けしたふうに、へっ、と鼻を鳴らす。

「おばあちゃんね、『おじいちゃんは田んぼを見ながら一杯飲《や》るんが好きなんじゃけん』って」

達爺は「なーに知ったふうなこと言うとんな、あのばあさんが」としかめつらになった。家族でいっとうお気に入りのレイコさんの前ではそれなりに笑顔も浮かべるが、基本的には無口なひとで、愛想もあまりよくない。親戚《しんせき》や近所の寄り合いで大酒を飲むよりも、本を読みながら日本酒をちびちび啜るほうが似合う。おしゃべり好きなキミ婆と半世紀以上も夫婦でいるのは『梅郷七不思議』の一つだ――と、キミ婆が自分で言っていた。

レイコさんもそれがわかっているから、キミ婆の台詞《せりふ》を伝えるときには多少アレンジした。キミ婆は、ほんとうは「おじいちゃんは田んぼを見ながら一杯飲るぐらいしか楽しみがないんじゃけん」と言って、ついでにもう一言、「来年があるかどうかわからんし」。カカカカカッ、と笑うキミ婆自身は、百歳まで生きるつもりで、毎朝欠かさず青汁を飲んでいる。

達爺はカップの蓋《ふた》を開けて、口からお迎えで酒を啜った。「美味《うめ》え」とつぶやき、短くなった煙草をふかす。酒はちびちび、煙草はフィルターぎりぎりまで、というのが達爺の流儀だ。

「弁当はレイちゃんが作ってくれたんか？」

「うん、まあ……卵焼き、焦げちゃったけど」

「かまわんよ、そげなことは。腹に入れば同じじゃけえ」

「……それはちょっと違うんじゃない？」

達爺は、ははっ、と笑い、レイコさんは頭上でせわしなく鳴くヒバリの声を聞きながら小さく深呼吸して、漏れそうになるあくびを紛らした。

ゆうべ——というより、今朝早くまで、勉強をした。五月の連休明けに県庁のある山陽市まで出て、大手予備校主催の全国模試を受けることにしていた。帰郷以来初めての模試だ。その結果しだいで四年目の大学受験に挑むか就職するかを決めなさい、と珠代さんに言われていた。「受験するいうても、もう東大はいけんで。受けるんじゃったら地元、ええな」とも。

地元の国立大・山陽大学なら、たぶん合否判定でそう悪い結果は出ないだろう。現役のときでも楽勝で受かっていたはずの大学だ。

三浪までして山陽大――？

双六《すごろく》で言うなら、「ふりだしに戻る」のようなものだ。

現役で入学していればめでたく卒業を迎えていたはずの来年の春、トウのたった新入生として入学――？

情けなくてしかたない。高校時代の同級生は何十人も山陽大に進んでいる。みんな、レイコさんよりずっと成績が悪かった。あんな大学なんて行ってもしょうがないじゃない、と内心バカにしていた。いまさら山陽大に入学して、出来の悪かった連中の後輩になるなんて、考えただけでぞっとする。

朝になってベッドに入っても、ほとんど眠れなかった。午後から夕方までは『ウッド・フィールズ』の店番の仕事がある。居候の身としては嫌だとは言えないし、ぼーっとしているタカツグに代わって店を取り仕切る珠代さんは、「今日はレイちゃんが早番じゃけんね」と、すっかりその気になっている。

眠るのをあきらめて勉強のつづきにとりかかっても、なかなか集中できない。頭の中では、自分の進むべき道が絡み合いながら渦巻いていた。山陽大、就職、山陽大、就職、山陽大、就職、サンヨーダイ、シューショク、サンヨーダイ、シューショク……来年の春、山陽大を卒業した高校時代の同級生と同じ会社に入ることになってしまったら……。

家の中にいたら煮詰まってしまう。どこか広いところに、パーッと、逃げ出したい。そんなレイコさんに、キミ婆が「おじいちゃんに弁当作ってやるけん、手伝うてくれ」と声をかけてきたのだ。「役場の裏の田んぼに出とる思うけん、お店に行くついでに散歩がてら持っていってやって」——さすがに森原家の大御所、孫娘の胸の内を見透かしている。

ヒバリが鳴く。山のほうからは、ウグイスやブッポウソウの鳴き声も聞こえる。

達爺はちびちびと日本酒を飲み、煙草をふかす。ネズミ色の作業服の上下に長靴、ツバの短い作業帽を目深にかぶって、土を平らに均《なら》して水を張った田んぼを飽きもせず見つめている。

時間が止まったような沈黙に焦《じ》れて、レイコさんは達爺の隣にしゃがんで言った。

「田んぼ見てて、おもしろいの？」

「べつに、おもしろうてかなわん、いうわけでもないけどの……」

「農作業っていうか、田植えの準備はもう終わってるんでしょ？」

『しろかき』がすんだら、あとは田植えをするだけじゃ」

レイコさんだって農家の子どもの端くれだ、田植え前の作業の流れぐらいはわかる。

ビニールハウスに育苗箱を並べて苗を育てている間、一冬越した田んぼはゆっくりと目覚める。堆肥《たいひ》や肥料を一面にまいて、トラクターで土を掘り起こして肥料を混ぜ込み、土に酸素をたっぷり吸わせる。それが「田起こし」。

「田起こし」が終わると、田んぼに水を引き込んで、トラクターで土と混ぜる。土の表面を平らにして水の深さを揃え、水はけを均一にするのが、「しろかき」。いまの田んぼは「しろかき」を終えた段階で、これで田植えを迎える準備は整ったことになる。

「わしは、『しろかき』のすんだ田んぼがいちばん好きじゃ」

達爺はぽつりと言って、フィルターぎりぎりまで吸った煙草を長靴に押し当てて、火を消した。吸い殻はいつも作業服の胸ポケットに入れる。ときどきそれを出し忘れて洗濯機に放り込むので、キミ婆や珠代さんにぶつくさ言われているが、決して吸い殻を田んぼや畑やあぜ道には捨てない。

「田んぼが鏡みたいになってきれいだから好きなの？」

「まあ、それもあるけどの……」

「あとは？」

「これから、また一年が始まるんじゃのう、いうて……今年はどげな米ができるじゃろうか、日照りやら台風やらが来りゃせんじゃろうか、いうての……心配なんやら楽しみなんやら、ようわからんけど」

ハハッ、と笑う。日本酒の酔いがほんの少しまわってきたのかもしれない。

「秋まで、長いよね」

「おう、まあ、長いわのう」

「どんなに春からがんばっても、台風一つでぜんぶ終わっちゃうこともあるよね」

「自然が相手じゃけんのう」

「そういうのって、どうなの？」

「うん？」

「なんか……むなしくならない？」

言葉も口調もキツくなったのが、自分でもわかった。

受験の話を重ね合わせていた。一年間の努力がたった一日か二日の入試の失敗で泡と消えてしまう不条理を、恨んだ。

だが、達爺は弁当を広げながら、「むなしいもなんも、米を作るいうんは、そういうもんじゃけえ」と淡々と、悟ったように言った。

「それでいいの？」

達爺はレイコさんの握ったずんぐりしたおにぎりを手に取って、「こりゃあ、美味そうじゃ」と頬張ったきり、なにも答えてくれなかった。

「レイちゃん、田んぼに入ってみんか？」

達爺が言った。「天気のええ日がつづいたけん、ええ具合に水もぬるんどる」とつづけて、目の前の田んぼに顎《あご》をしゃくる。

レイコさんは「やだぁ」と苦笑いでいなしたが、達爺は本気だった。

「じいちゃんの丹精した田んぼじゃけん、泥もつるつるしとる。気持ちええで」

「……いいよ、そんなの。長靴もないし」

「裸足《はだし》でええ、裸足で。覚えとるか、レイちゃん。こまい頃は『しろかき』のすんだ田んぼで、よう遊んどったんで。泥のプールじゃ、いうて。あとでもういっぺん『しろかき』せんといけんほど、元気に遊んどった」

うっすらと記憶には残っている。小学校に上がる前の頃だったと思う。だが、楽しかったことより、田んぼで遊んでいて尻餅《しりもち》をつき、スカートもパンツも泥だらけになって大声で泣いた記憶のほうが、はるかに鮮明だった。小学二年生の春のことだ。それ以来、裸足はもちろん長靴を履いていても、田んぼには入らないようにしている。

「田植えもしたんど。覚えとるか？」

「ほんと？」

「田んぼの隅っこのほうの、機械で田植えのできんところを、おじいちゃんとおばあちゃんと三人で、手で植えたんじゃ」

「……ぜんぜん覚えてない、それ」

「レイちゃんは一株か二株しか植えんかったけど、秋になったらええ穂がついて、米もちゃーんと穫《と》れたんじゃ。おじいちゃん、鎌《かま》で刈って、レイちゃんのお米は特別じゃけん、神棚に供えたんよ。レイちゃんが元気で育ちますように、いうて」

なんだか、腰のあたりがくすぐったくなる。

鏡になった田んぼに映り込む空が、かすかに揺れた。羽虫が水面に触れたのかもしれない。

達爺は卵焼きをつまんで、口の中に放り込んだ。砂糖を入れすぎて黒く焦げた卵焼きを「おう、美味《うま》い美味《うま》い」と笑って食べてくれるのは、達爺だけだ。

目の中に入れても痛くないほどかわいがってきた孫娘が、夢破れてわが家に帰ってきた――それを家族の中で誰よりも悲しみ、誰よりも喜んでいるのも、達爺なんだろうな、と思う。

2

『ウッド・フィールズ』の鍵《かぎ》を開け、ホワイトボードに〈本日の日替わりランチ　豚肉の生姜《しょうが》焼き〉と書いて、店先に掲げた。

ランチといっても、仕込みの手間は皆無に近い。生姜焼きは業務用の冷凍パックから一人分出して解凍するだけだし、付け合わせのポテトサラダも業務用パック。味噌《みそ》汁はフリーズドライで、ごはんはまとめて炊いたのを小分けにしてフリージング。これで七百円というのは、いくらなんでも暴利ではないか。

ちゃんと手作りすれば原価も抑えられるし、味やボリュームもアップするし、せめてごはんぐらいは炊きたてのものを……。

いつも思って、そのたびに「ダメダメダメダメッ」と、あわてて自分を叱りつける。店番はあくまでも無給のボランティア。居候の家賃代わり。本気になってしまうと、この町から逃げられなくなる。キミ婆は、待ってました、と「花嫁修業の家事手伝い」にしてしまうだろうし、珠代さんは、ほくそ笑みながら鶴山市に出かけて「副店長」の名刺をつくってくるだろう。

カウンターの中に入って、英語の長文読解の問題集を広げた——そのとき、カランカラン、とドアにつけたカウベルが鳴って、本日第一号のお客が姿を見せた。

「いらっしゃいませーっ」

そういう挨拶《あいさつ》がさらりと出るようになったところが、ちょっと怖い。

入ってきたのは、町はずれの集落に住む服部《はっとり》さん夫婦だった。

上着だけ作業服を着て、下は黒っぽいズボンのおじいさんと、毛玉だらけのストールを羽織ったおばあさん。ともに七十代後半の達爺とキミ婆よりもさらにお年寄りの夫婦で、特におばあさんのほうは腰が曲がり気味になって、杖《つえ》をつく足取りもおぼつかない。そんなおばあさんをいたわるように、おじいさんはゆっくり、ゆーっくり、歩く。

常連さんだ。レイコさんが店番をしているときに、何度か顔を見せている。梅郷のことなら隅から隅まで知っている珠代さんによると、おじいさんは長年国鉄に勤めていて、いまは老夫婦の二人暮らしだという。

おじいさんはロビーの椅子におばあさんを座らせると、カウンターに来て入室の申し込みをした。

二、三人用から詰めれば二十人で利用できる大部屋まで八室あるうちの、いちばん小さな1号室をリクエストして、ドリンクはクリームソーダを二つ——いつも、このパターンだ。

マイクを二本渡すと、「ああ、どうもすみませんのう」と受け取るには受け取るが、さあ歌うぞ、という張り切った様子はない。これもいつものことだ。実際、おじいさんもおばあさんも、まだ一曲も歌ったことがない。一時間いて、クリームソーダを飲んで、それで終わり。個室の喫茶店のようなものだ。

今日もまた、いつものように一曲も歌わずに帰るのだろうか。もしかしたら、カラオケスナックみたいに一曲歌うごとに料金がかかると思っているのだろうか。

おばあさんの肩を支えて、ゆっくり、ゆーっくりと1号室に向かうおじいさんの背中に、カウンターから声をかけた。

「あの……えーと、カラオケ、歌い放題ですから」

おじいさんは振り向いて、ありがとう、というふうに会釈をした。それでも、やっぱり、おじいさんにもおばあさんにも、よーし、歌うぞお、という様子はなかった。

レイコさんは拍子抜けした気分で厨房《ちゅうぼう》に入り、業務用のサーバーからメロンソーダをグラスに注いだ。冷凍庫のバニラアイスをその上に浮かべ、シロップ漬けのチェリーを添える。八十がらみの老夫婦が二人でクリームソーダを飲む——微笑ましいような、ホラー映画のワンシーンのような……。

1号室にグラスを運んだ。向き合って座る服部さん夫婦は、まだマイクをアンプにつないでいなかった。なるほど、と思い当たった。いままでは気にとめなかったけれど、マイクをどこに差せばいいのかわからなかったのかもしれない。

「マイク、おつなぎしましょうか？」

常連さんへのサービスのつもりで、せいいっぱい愛想良く言ったのに、おじいさんは迷う間もなく「いや、ええです」と首を横に振った。にべもない、さっさと出て行ってくれ、と言いたげな口調だった。

おばあさんの返事はない。というか、反応じたいがない。目の前に置かれたクリームソーダを、にこにこ微笑みながら、じっと、食い入るように見つめているだけだった。

服部さん夫婦が入室して三十分ほどたった頃、イネちゃんが、若い男と二人で「どーもぉ」と店にやってきた。

「勘違いしないでよ、仕事なんだからね、このひとは仕事の関係者。変なウワサ流したりしたら、マジ、怒るからね」

イネちゃんは真っ先に釘《くぎ》を刺したが、「就職したの？」とレイコさんが訊《き》くと、「そういうわけじゃないんだけど……」と急に歯切れが悪くなって、「これからの時代はNPOなんだから、うん、お金じゃないの」とワケのわからないことを言いだす。

連れの男が、名刺をレイコさんに差し出して、おおまかなことを教えてくれた。

〈21世紀の鶴山を考える会〉と名刺には記されていた。若手の市会議員や商工会議所の青年部を中心に有志が集まって、鶴山市の活性化のために活動する、という会だ。

イネちゃんが連れてきたのは、広報部長の勝田晴彦《かったはるひこ》──鶴山銀天街に店をかまえて五十年、レイコさんも高校時代にお世話になった『鶴山書房』の若旦那《わかだんな》だった。鶴山高校のOBでもある。

レイコさんやイネちゃんより五つ年上なので高校時代に一緒になることはなかったが、「勝田晴彦」の名前は後輩たちにもおなじみだった。イネちゃんは「カッちゃん」となれなれしく呼んでいるものの、勝田晴彦は「鶴高開校以来の秀才」の誉れも高く、東大に現役で合格した。要するに、レイコさんが三浪の末に果たせなかった夢を、軽々とクリアした男なのだ。

「先週知り合ったばかりなの。鶴山の居酒屋でみんなと呑《の》んでたら、偶然カッちゃんたちもいて、で、『一緒に呑みませんか？』ってね。ほら、わたしもカッちゃんも東京じゃん、やっぱ、話も合うわけよ、うん」

イネちゃんの言う「みんな」は、『桜まつり』で会ったヒデやジュンコやメグやケンイチのことだった。出来のいいのも悪いのもまとめて、年上も年下もなく付き合えるところが、イネちゃんの、ある種の人徳なのかもしれない。

「それでね、今日、ここに来たのは、ちょっとお願いごとがあるんだけど……」

イネちゃんの言葉を引き取って、カッちゃんは一歩前に出た。

「ポスター、貼らせてもらいたいんですよ」

東京の言葉で言って、筒にして持っていたポスターを広げる。

〈こいのぼり、貸していただけませんか？〉というコピーとともに、何十尾ものこいのぼりが、川に渡したロープに留まって空を泳ぐイラストが描いてある。

五月の連休に、鶴山市の中心を流れる作陽川《さくよう》にこいのぼりをひるがえらせようじゃないか、という企画だ。

「去年もやったらしいんだけど、二十尾ぐらいしか集まらなかったんだって。今年もあんまり調子よくなくて、カッちゃん、困ってたの。で、わたしが、『だったら梅郷にも話を回せばいいじゃん』ってアドバイスしてあげたってわけ」

「確かにそうなんですよね、僕ら、鶴山市内でしか考えてなかったんです」

「考え方が狭いんだよね。地域の活性化だったら、鶴山とか梅郷とか、そんななわばり意識は捨てなさい、っての」

「いや、ほんと、まったく……イネちゃんの言うとおりなんですよね……」

「で、さあ、わたし言ってあげたの。梅郷なら鶴山以上に過疎が進んでるんだから、余ってるこいのぼりもたくさんあるはずだ、って。お年寄りだと、こいのぼりを庭に揚げるのもキツいじゃん。だったら、ウチらが代わりにまとめて河原で泳がせてあげましょう、ってできるじゃん」

なるほど、とレイコさんもうなずいた。

いまから町役場や郵便局にもポスターを貼らせてもらいに行くから、と二人はすぐに店をひきあげた。帰り際、カッちゃんは「今度は歌いに来ますから」と笑った。東大を卒業して、すぐに帰郷したというから、これで五年目の田舎暮らしになる。物腰や口調には都会の名残があったが、やはり全体の雰囲気としては、鶴山ののんびりした空気に染まっている。東京の言葉もひさしぶりにつかったのかもしれない。

伝説の秀才も、結局、田舎に帰ってきたのか……。寂しさ半分、ほっとした気持ち半分で、レイコさんはポスターをロビーのいっとう目立つ場所に貼った。

しばらくすると、1号室から服部さん夫婦が出てきた。今日もまた、一曲も歌わずに、夫婦でクリームソーダを飲んだだけだった。

勘定を終えて、来たときと同じようにおばあさんの肩を支えて歩きだしたおじいさんは、壁のポスターにふと目を留めた。立ち止まる。ポスターをじっと見つめる。

やがて、おじいさんはおばあさんをその場に残して、カウンターに戻ってきた。

「こいのぼり……ウチのを使うてくれんか」

意を決したような、険しい顔で言った。

イネちゃんは、レイコさんがその夜のうちに携帯電話に連絡すると、さっそく「じゃあ、明日《あした》取りに行こうか」と答えた。声の背後に、何人かの話し声が聞こえている。音楽も聞こえる。「待ち合わせ、何時にする？」

「わたしも行くの？」

「でしょ？」

「だって、わたし関係ないじゃない」

「いーのいーの、入会自由な会だから」

いや、そうじゃなくて、と言い返しかけたとき、電話の向こうで陽気な笑い声があがった。

「飲んでるの？」

「会議してんのよ、会議。みんなで晩ごはんを食べながら、こいのぼりのことを話し合ってんの」

答えながら目配せか身振りをしたのだろう、男と女入り交じって数人ぶんの「イェーイ！」というはしゃいだ声があがった。

勝田先輩もいるんだろうか、とレイコさんは一瞬思った。が、声は聞き分けられなかった。

「うち、ウーロンハイと枝豆もろうといて」

イネちゃんはそばにいる誰かに声をかけてから、「ごめんごめん」と電話に戻った。方言と標準語を器用につかい分ける。昼間の勝田先輩もそうだったな、と思いだす。

「じゃあ、服部さんちに行くのは明日の四時頃ってことでいいよね」

「……ほんとに、わたしも行かなきゃいけないの？」

「そりゃそうでしょ、レイコが勧誘したお客さんなんだから」

違うでしょ、と返す前に電話の向こうで、イネちゃんに誰かが話しかけた。男のひとの声だった。言葉は聞き取れなかったが、イネちゃんは「わかった」と軽く応えて、

「ねえ、レイコ」とまた電話に戻った。

「もし暇だったら、いまから出てこない？　鶴山の『わやわや亭』ってわかる？　そこにいるんだけど」

わや――この地方の古い方言で「めちゃくちゃ」という意味だ。

「銀天街のアーケードの前から、ケータイに電話してよ。迎えに行ってあげる」

「もう遅いから……」

「なに言ってんの、いい若いモンが。なんだったら、二次会で『ウッド・フィールズ』に繰り出してもいいよ。そうしたらレイコ的にも一石二鳥でしょ」

「お店は関係ないって」

「でも、タカツグ店番してるんでしょ？　あの子もいずれはウチらの会のメンバーに

なるんだし、いまのうちに顔つなぎをしといたほうがいいんじゃない？」

すぐ、そうやって勝手に決めつける。イネちゃんはキミ婆や珠代さんと似たタイプだ。これが梅郷の女の気質――？　ちょっと、ぞっとしてしまう。

イネちゃんはつづけて、『わやわや亭』に集まっている面々の名前を挙げていった。工務店のヒデ、町役場のジュンコ、看護師のメグ、宅配便のケンイチ。『桜まつり』で会った不良系メンバー勢ぞろいというわけだ。

心の奥で、なーんだ、とため息をついてしまうと、まるでその胸の内を見透かして、タイミングを計ったかのように、もう一言――「カッちゃんもいるよ」。

心が動いた。机の上に広げた受験参考書から、つい目をそらしてしまった。

「カッちゃんもレイコとゆっくり話してみたいんだって。やっぱ、ほら、秀才同士しかわかんない話もあるじゃん。鶴高の生んだ伝説の秀才二人のご対面って、どう？」

電話の向こうで、どっと笑い声があがる。わしら伝説のアホじゃけえ、と誰かがおどけて言った。

それを聞いて、思わずカッとなった。バカにされた、と感じた。

「忙しいから、また今度ね」

そっけなく言って、イネちゃんの返事を待たずに電話を切った。

いつも、こうだ。不器用というか頑《かたく》なというか、ゲームのようにおしゃべりを楽しむということができない。相手をからかってみたり逆にからかわれてみたり、という呼吸がわからない。用件を要領よくまとめて伝えるのは得意でも、とりとめのないおしゃべりに付き合うコツを知らない。

損してるよなあ、と思う。出会いのチャンスを自ら手放している。世界が広がる可能性を自ら閉ざしている。その性格が災いして、三年間も東京にいながら、「彼氏」はもちろん「親友」すらつくれなかった。

ため息とともに受話器をシャープペンシルに持ち替え、背筋をピンと伸ばして座り直し、参考書をにらむように見つめる。

カッちゃんもレイコとゆっくり話してみたいんだって——。

イネちゃんの声が、耳の奥から聞こえた。わざとばたばたとしたしぐさで、ノートを一枚めくった。

話してみたいんだってぇ、話してみたいんだってぇ、話してみたいんだってぇ……。

イネちゃんの性格そのままに、声は耳の奥をくすぐるように、いつまでもエコー付きで繰り返された。

3

翌朝、朝食の支度をする珠代さんを台所で手伝いながら、服部さんのことを訊いてみた。

「気の毒になあ、奥さんが惚《ぼ》けてしもうたけん、ご主人が一人で面倒見とるんじゃと」

「認知症？」

「去年頃から、ちぃとな」

「……そうなんだ」

クリームソーダを見つめるおばあさんの顔を思い浮かべた。食い入るようなまなざしも、やわらかすぎる微笑みも、言われてみれば、なるほど、だ。

「二人とも、カラオケぜんぜん歌わないよね」

「そうじゃったかなあ……」

「うん。あと、注文はいつもクリームソーダだけで」

珠代さんはそれを聞くと、たちまち顔をしかめた。

「食べ物も注文してもらわんと、売り上げが伸びんけん困るなあ。あんたもどんどん勧めんといけんよ」

はいはい、と聞き流して、とすぐに脇道にそれてしまう話を元に戻した。

「服部さんって二人暮らしなの？」

「息子さんが一人おってじゃけど、大阪じゃったか神戸じゃったかに住んどるんと違うかなあ」

こいのぼりは、その息子さんのために買ったものなのかもしれない。

「服部さんって、昔はJRで働いてたって言ってたよね」

「国鉄な、コクテツ。転勤で全国あっちこっち回っとったらしいよ。梅郷に帰ってきたんも定年退職してからじゃったけん、奥さんは最初はなかなか馴染《なじ》めんかったんよ。しきたりも付き合いも、なーんも知らんかったけんなあ」

珠代さんの口調に、一瞬、冷ややかなものが溶けた。それを敏感に聞き取ったレイコさんは思わずムッとして、「そんなの知らなくたっていいじゃん」と唇をとがらせた。「別に法律でもなんでもないんだしさあ……」

「なにアホなこと言うとるん」

珠代さんは、ぴしゃりと叱りつけた。ヤブヘビになってしまった。

「郷に入れば郷に従わんといけんのよ。レイちゃんにも、今度からはお葬式やらがあったら出てもらうけん、よう勉強して、わからんことがあったらお母ちゃんやおばあちゃんに訊いて、早ういろんなこと覚えんと、恥をかいて困るんはあんたなんよ」

「……はい」

「まあ、服部さんのことじゃったら、あとでおばあちゃんに訊いてごらん。服部さんがたのおばあさんに可愛がられとったけん、昔のこと、よう覚えとるわ」

言われたとおり、朝食のときにキミ婆に訊《き》いてみた。

すると、キミ婆は皺《しわ》に囲まれた目をしょぼつかせながら、「カズさんはかわいそうじゃった、ほんまにかわいそうじゃった」と繰り返した。

「カズさんって……」

「いまの服部のじいさんのお母ちゃんじゃ。奥さんのお姑《しゅうとめ》さん」

夫を戦争で亡くしたカズさんは、戦後はずっと一人暮らしだった。五人いた子どものうち二人は幼いうちに亡くなり、残り三人は男一人に女二人——唯一の男の子だった服部さんは、中学を出ると集団就職で大阪に行き、そのまま梅郷には帰らなかった。

「曲がった腰で、杖《つえ》をつきながら畑仕事をしよりんさった。家のことも田んぼのことも、みなカズさんが一人でやっとったんよ。嫁に行った娘さんらがたまに手伝いに来ることはあっても、息子のほうは盆と正月に一晩二晩顔を見せるだけで、仕事じゃ会社じゃ言うて、すぐに去《い》んでしまう……跡取りがなにをしよるんじゃ言うてな、カズさんが気の毒でならんかったよ……」

カズさんは一人暮らしのまま、二十年以上前に亡くなった。納屋に入って片付けものをしているときに、脳溢血《のういっけつ》だったか心筋梗塞《こうそく》だったかで倒れて、それっきりだった。訪ねてきた民生委員のハルさんが見つけたときには、死後二日たっていた、という。

「息子がもうじき定年退職して、嫁を連れて帰ってくるけん、言うてな……楽しみにしとった矢先じゃったけん、よけいかわいそうじゃった」

話し終えたキミ婆の目は、赤く潤んでいた。いつもは途中で一言二言茶々を入れる珠代さんも、神妙な顔でキミ婆の話を聞いていた。

「跡取りを外に出しちゃいけんのよ」

キミ婆がぽつりと言うと、珠代さんもうなずいて、「外に出ていった者を呼び戻すんは難儀なけん」と、自分自身に言い聞かせるようにつづけた。

そこに、寝坊したタカツグが階段を転げるように降りてきて、「遅刻遅刻、遅刻――っ」と朝食も食べずに玄関に向かった。

キミ婆は急に元気を取り戻して、「気をつけて行ってきんさいよお」と玄関に声をかけた。珠代さんも上機嫌に「今日はお母ちゃんが早番じゃけんなあ」と言う。

どんなに頼りない跡取り息子でも、『ウッド・フィールズ』があるかぎり、タカツグは梅郷からもこの家からも出ていかない……いや、出ていけない。その重みをどこまで真剣に考えているのか、ぼーっとしたタカツグの顔からは、レイコさんはなにも読み取れない。

午後三時過ぎにイネちゃんが車で迎えに来た。

工務店のヒデから借りた中古のスカイライン——シャコタン、エアロパーツ、スモークガラス、ヒカリモノのアルミホイール付き。完全無欠の不良系の車だが、イネちゃんは「これは自前で買うたんよ」とリアシートの麗央くんの座るチャイルドシートを得意そうに指差す。

のどかな田園風景にこれほど不似合いな車もない。地響きのようなエンジンの音に驚いたお隣の家の犬はキャンキャン吠《ほ》えながら庭を走りまわり、裏の家のニワトリ小屋も大騒ぎになってしまった。

「トラクターに比べりゃ、ちっちゃなものでしょ、この程度の音なんて」

イネちゃんはケロッとした顔で言って、麗央くんは耳をつんざく音にも負けずに、すやすやお昼寝している。タフな親子である。

車を走らせながら、イネちゃんは「朝からずーっとウチにいたの？」と訊いてきた。

「うん、まあ……」

キミ婆は知り合いのお見舞いで鶴山の病院に出かけ、達爺は弁当を提げて朝から山で草刈りをしている。隆造さんは会社で、タカツグは学校で、珠代さんは『ウッド・フィールズ』の店番——そろそろ授業の終わったタカツグと交代している頃だろうか。

レイコさんは部屋にこもりきりで勉強に励んだ。ほかにやることなど、なにもない。

昼食は一人でカップラーメンを啜《すす》った。東京のアパート暮らしとたいして変わりはなくても、家が広いぶん、ひとりぼっちの食事はわびしさがつのる。キミ婆からカズおばさんの話を聞いたから、よけいに。

「ぶらぶらしてるのって、あんただけでしょ？　よくそんなので家にいられるよね」

「イネちゃんだって、仕事してないでしょ」

「だから家にいないようにしてるんじゃん。子連れの出戻り娘なんて家の中に居場所もないし、いい若い者が家でぶらぶらしてると、お父さんもお母さんも恥ずかしいでしょ」

娘が外に出てヒンシュクを買うほうが、親はもっと恥ずかしいんじゃないか、と言い返したいのをこらえた。

胸の奥に、かすかな失望があった。こいのぼりの件を言いだしたのは勝田先輩で、イネちゃんは暇つぶしのお手伝いにすぎなくて、ということは、服部さんの家に行くときは勝田先輩が来るのが当然の話で……。

口に出して愚痴ったわけではないのに、イネちゃんは不意に「あ、そうだそうだ、忘れてた」と言った。「ゆうべ、カッちゃん、がっくりしてたよ。レイコが来なかったから」

ただの偶然か、イネちゃんの勘がとんでもなく鋭いのか、それともこっちの顔が間抜けなほど胸の内をさらしているのか、とにかくレイコさんはどぎまぎしてしまって、

「ふうん」と応《こた》える声は裏返りそうになった。

「今日もほんとは一緒に行きたがってたんだけど、本屋の仕事がどうしても抜けられなくてね、レイコによろしくって言ってた」

「……あ、そう」

「今度マジに飲み会においでよ。みんないい奴だし、あんたも家に閉じこもってたら病気になっちゃうよ」

そうだね、とため息交じりにうなずいた。イネちゃんに言われるまでもなく、このままじゃまずい、と思っている。体にもよくないし、とにかく気が滅入《めい》ってしかたない。

でも、外に出て、なにをすればいい――？

そもそも、外の、どこに行く――？

家の中に居場所がない、とイネちゃんは言っていた。わたしは逆だな、とレイコさんは思う。家の中はそれなりに居心地がよくても、ふるさとの町に、自分のいるべき場所が見つけられない。

沈みかけた気分を紛らすために、問わず語りに服部さん一家の背負った事情を話した。

イネちゃんは、奥さんの認知症の話やカズさんの孤独死の話にもたいして驚かず、ふうん、ふうん、と軽い相槌《あいづち》を打つだけだった。

拍子抜けして、「なんか、やりきれないよね」と話を締めくくると、野球の攻守交代みたいに、イネちゃんは急に力のこもった声で「でも、どこでも似たようなもんだと思うよ」と言った。

「そう?」

「うん。カッちゃんたちとこいのぼり集めてて、実感した、マジに」

使わないこいのぼりを借りて作陽川に舞わせるというアイデアは、たんなる観光用の目玉づくりではなかった。

「年寄りだけの家が多いじゃない、鶴山も梅郷も。そうするとね、もう、おじいちゃんとおばあちゃんだけだと、こいのぼりを揚げられなくなるんだよね。どうせ喜ぶ子どももいないし、こいのぼりをロープに結んで竿《さお》に揚げるのって、けっこう重労働なんだって。体力的にキツいのよ、年寄りには」

だから、ほら、とイネちゃんは道路に面した農家を指差した。庭に、こいのぼりの竿が立っている。だが、肝心のこいのぼりは泳いでいない。

「子どもの日まで、あと十日だよ。ふつうはもう揚げてるでしょ。まだ揚げてないってことは、あそこの家も年寄りだけってことなの」

「……うん」

「そういう家、たくさんあるよ。こいのぼりもかわいそうだと思わない？　一年中、納屋や倉にしまわれたまま、空を泳げないんだもん。だから、せめて若い衆が揚げてあげようか、って」

レイコさんは黙ってうなずいて、イネちゃんの横顔に目をやった。見直した、はっきり言って。同い歳のイネちゃんが急におとなびて見えた。

レイコさんの視線に気づいたイネちゃんは、車のスピードを上げて、「まあ、ほら、無縁仏をまとめて供養したりとかするじゃん、それと同じだよね」と笑った。「こいのぼりの祟《たた》りって、なんか怖そうじゃん」

そんな憎まれ口の照れ隠しも、悪くない。

服部さんの家は、道路から少し入ったところにあった。手前と左右を田んぼに囲まれ、裏はこんもりとした山。石垣を組んで田んぼより一段高くなったところに、母屋と納屋と庭がある。こいのぼりの竿が見えた。竿のてっぺんで風車がカラカラ回っていたが、こいのぼりは、ない。

車を路肩に停め、あぜ道に毛の生えたような細い坂道を歩いて登った。

いかにも農家といった風情のどっしりした瓦《かわら》屋根の家だが、思っていたより新しい。つい最近、壁を塗り替えたり屋根を葺《ふ》き替えたりしたようだ。

もっと貧しげな家を想像していたレイコさんは少しほっとしたが、ぐっすり寝入った麗央くんを抱っこしたイネちゃんは「やっぱりなあ……」と同情するようにつぶやいた。

「やっぱり、って？」

「二世帯住宅に建て替えるのをあきらめたってことでしょ、つまり。息子さんはもう梅郷に帰ってこないだろうっていう覚悟を決めたわけだよね」

そこまでは考えていなかった。ほんとうにイネちゃんのほうがずっとおとなだ、と思い知らされた。

坂道を登りきったところに、母屋から服部さんのおじいさんが姿を見せた。

「どうも、このたびはお世話になります」とレイコさんはぺこりと頭を下げた。

だが、おじいさんは挨拶《あいさつ》もそこそこに、落ち着きのない様子で、母屋を何度も振り向いた。あせっている。困惑している。途方に暮れているようにも見えるし、なにかを悔やみ、自分で自分を責めているようにも見える。

「どうしたんですか？」

レイコさんが訊《き》くと、おじいさんは逆に「ちょっと、教えてほしいんじゃが……」と言った。「今日来とるんは、あんたら二人だけなんか？」

「はあ……そうですけど……」

「男のひとはおらんのか？」

　イネちゃんが麗央くんの手を持ち上げて「はーい、ボクちゃんでーす」と言った。

　だが、おじいさんはにこりともしない。むしろ困惑とあせりの色をいっそう深めて、二人に言った。

「お願いがあるんじゃ。一時間……三十分でええけん、ばあさんの相手をしてやってつかあさい」

　きょとんとする二人に、「ほいで、誰でもええけん、若い男のひとを呼んできてもらえんですか。あんたらに釣り合うような、若い男を」と早口につづける。

　おばあさんが待っている、という。朝から台所にこもって山菜おこわをつくり、野菜の煮物をつくり、おじいさんに町まで買い物に行ってもらって刺身も用意した。

「いや、もう、おかまいなく……うちら、そんなつもりで来たんと違うんですから」

　あわてて方言交じりに言ったイネちゃんは、次の瞬間――まさか、というふうに顔をこわばらせた。レイコさんも、同じ。

　おじいさんは低い声で、さらにつづけた。

　二人の予感は当たった。

　おばあさんは、息子の一家が帰ってきたと思い込んでいるのだった。

4

白い霧がかかってしまったようなおばあさんの頭の中では、時間が流れてはいない。現実と交じり合った幻の世界にいる息子さんは、赤ん坊の頃から結婚したあたりまでを行きつ戻りつして、それ以上は歳をとらない。

「それがのう、ゆうべ、『明日《あした》、鶴山の若いひとらがこいのぼりを借りに来るけん』言うたら、ばあさん、息子が孫を見せに来るんじゃ思い込んでしもうたんよ」

時間の目盛りが、一つ進んだ。

「誰かおらんかのう、いますぐ来てくれる若い男。誰でもええんじゃ」

「あの……」レイコさんは不安になって言った。「顔が息子さんとぜんぜん違うと、わかっちゃうんじゃないですか？」

「そのときはどげんでもするけん。とにかく、いま、誰かおらんと困るんじゃ。ばあさん、待ちよるんじゃけえ、まだ来んのか、まだか、まだか、言うて」

「でも、たとえ今日はそれでよくても……」

困惑するレイコさんの腕を、イネちゃんが強く引いた。

「すぐに電話して呼びますから、おじいさん、おばあさんのフォローをよろしくっ」

こっちのほうはまかせてください、と笑って、右手で麗央くんを抱き、左手でレイコさんの腕をつかんで、坂道を引き返していく。

だが、イネちゃんの笑顔はすぐにひっこんだ。おじいさんの姿が家の中に消えたのを確かめてから、邪険にレイコさんから手を離し、おっかない顔でにらみつける。

「レイコは能書きが多すぎるの。ぐちゃぐちゃ言わずに、頼まれたことをやればいいの。で、やりたくないんなら、ごめんなさい、で帰ればいいの。わかりきってる小理屈を並べたてるのって、最低なんだから」

頭ごなしに叱られて、レイコさんもムッとしたが、イネちゃんはきっぱりと言った。

「いま必要なことをしてあげる、それが親切の基本。わかった？」

レイコさんはなにも言い返せなかった。イネちゃんの単純な言いぶんは、レイコさんの正論より、ずっと強かった。

イネちゃんは車まで戻ると、抱っこしていた麗央くんを下ろした。いまから麗央くんに大急ぎでお芝居をしこむのだという。

「だいじょうぶなの？」

思わず訊くと、イネちゃんはうんざりした顔で振り向いた。「あんたさあ、心底うじうじしたコだね、ほんと」とため息をついて、「あんた、人生楽しく生きてないんじゃない？」と訊く。

今度もなにも応えられず、うつむいてしまった。

「……ま、いいや、あんたを落ち込ませてる暇ないから」

イネちゃんは気を取り直して、「麗央と話してる間に、電話してよ」と言った。

誰に——と訊きかけたら、「平日の昼間で融通の利くのって、やっぱり職場でトップにいるひとなんじゃない？」と、妙に意味ありげに笑われた。

なるほど、とうなずいて、レイコさんは携帯電話を取り出した。


三分後。

「バカ」

イネちゃんは言った。

「あんたって、勉強はできるかもしれないけど、ほんとにバカなんだね。ちょっと考えればわかることじゃない、そんなの」

またもや、レイコさんはなにも言い返せなかった。悔しさではなく自己嫌悪に、グッと唇を嚙《か》みしめる。

「で、タカツグ、来るって？」

「うん……お客さん誰もいないから、すぐに行く、って。でも、いまからケータイに電話するよ、ね、それで断っちゃうから」

「もういいよ、タカツグでやるしかないよ」

「……ごめん」

間抜けな勘違いだった。平日の昼間で融通を利かせられる、職場のトップ——イネちゃんは『鶴山書房』の勝田先輩のことを考えていて、レイコさんは『ウッド・フィールルズ』の店長であるタカツグしか思い浮かばなかった。高校三年生のタカツグが「孫を連れて家族で里帰りした息子」を演じられるはずがない、言われてみれば確かにそのとおりなのだ。

「ま、いいや、もういまさら言ってもしょうがないんだから。うん、ポジティブに考えちゃおう」——今日のイネちゃんは、ほんとうに頼もしく見える。

「奥さん役、わたしでいいよね？　で、レイコは、途中で拾ったヒッチハイクの女の子……ちょっとリアリティに欠けるか。じゃあ、ベビーシッターさん……ってのもリッチすぎちゃうか。奥さんのお姉さん……って感じが、まあ、無難なのかなあ。妹よりも、やっぱりお姉さんだよね、レイコは」

一人でどんどん決めていく。その前向きさに圧倒されながら、レイコさんは「すごいね」と言った。皮肉だと思われたくなかったので、もう一度、「ほんとに、すごいと思う」と繰り返す。

最初きょとんとしていたイネちゃんは、照れくさそうに「だって」と言った。「なにかを始めるのって、楽しいじゃん。終わったものの思い出話とかするより、絶対におもしろいもん」

なるほど、と感心してうなずくと、イネちゃんはさらに照れてしまい、麗央くんを前に立たせ、後ろから肩を揉《も》みながら、つづける。

「あのね、それに、ウチ、こーゆーの慣れてるの、わたしも麗央も。ほら、お店のお客さんと外で会うときとか、うん、麗央は歳の離れた弟になったり、甥《おい》っ子になったりしてくれてたから……」

わははっ、と笑う。麗央くんも屈託なく「お隣のおねーさんにもなったよね、ママ」と舌足らずな口調で言う。

「で、タカツグ、原チャリで来るんだよね。じゃあ、わたし、とりあえずそのへんまで行って、タカツグを捕まえちゃうね」

「なんで？」

「高校の制服のまま会わせるわけにはいかないじゃん、ちょっとは頭使いなよ」

イネちゃんは麗央くんに「ドライブするよお」と声をかけてスカGのドアを開けた。

「わたしは？」とレイコさんがあわてて訊《き》くと、麗央くんを後部座席のチャイルドシートに座らせながら「あんたは、おじいさんとおばあさんの相手してて」と言う。

「でも……」

後込《しりご》みするレイコさんに、イネちゃんは運転席からぴしゃりと言った。

「あんたは、『でも』が多すぎる」

レイコさんには、もうなにも言えない。

「とにかくレイコはわたしのお姉ちゃんなんだから、そこ、忘れずに。いま息子さんと嫁さんと孫は買い物ちゅうでーす、ってことで、よろしくっ」

景気づけにウォンウォンとエンジンを空ぶかしさせてから、アクセルを踏み込んで、方向転換できる四つ角までバックで一気に戻っていく。荒っぽい運転だが、上手《うま》い。カーステレオの矢沢永吉の歌が、レイコさんのところまで聞こえてきた。


イネちゃんの車を見送ってから、レイコさんは一人で服部さんの家に戻った。玄関脇の郵便受けをふと見ると、三人ぶんの名前が書いてあった。おじいさんとおばあさんと、それから、「鉄路」。息子さんの名前だろう。テツジと読むのか、テツミチなのか、いずれにしても鉄道マンだったおじいさんの、仕事に対する誇りのにじむ名前だ。

おじいさんとおばあさんが梅郷に帰ってきたとき、すでに息子さんは結婚して家を出ていたはずだから、郵便受けに名前を書く必要はない。老夫婦二人きりだと知られると物騒だから？　それとも、いつか息子が帰ってきてくれるだろう、という願いを込めて？

郵便受けから目をそらし、ため息を呑《の》み込んで、家の中に入った。

居間にはおじいさんと、おばあさんもいた。座卓には、おばあさんの心づくしのごちそうが並んでいる。

おじいさんが、よろしく頼みます、と目配せした。

「あの……えーと、わたし……息子さんの、奥さんの、姉なんですけど……いま、ですね、息子さんたち、ちょっと買い物に行ってて、すぐに戻ってくると思うんですけど……」

おばあさんはなにも応えない。にこにこと微笑んで、レイコさんのほうには目を向けずに、ぼんやりと虚空を見つめている。『ウッド・フィールズ』で何度も会っているのに、レイコさんの顔が記憶にかすかにひっかかるという感じすらない。

「ビールでも飲みますか」とおじいさんが言った。レイコさんはしかたなく座卓の前に座って、グラスでビールを受ける。

「ええところでしょう、梅郷は」

おじいさんが言った。せいいっぱいのお芝居だ。「歳をとってから住むには、いちばんです」と噛みしめるようにつづけて、「若いうちは、なかなかそれがわからんのですよ」と自分の言葉に小さくうなずいた。

レイコさんは黙ってビールを一口啜《すす》り、まなざしを据える場所に困って、サイドボ

POST

ードに目をやった。写真が飾ってある。家族の写真だ。レストランなのか喫茶店なのか、両親と男の子がテーブルを囲んで座って、カメラに笑顔を向けていた。

男の子の前には、飲みかけのクリームソーダがあった。緑色のソーダ、白いアイスクリーム、そして真っ赤なチェリー。

そういうことだったのか、と気づいた。

『ウッド・フィールズ』の個室は、おばあさんにとっては――もしかしたら、おじいさんにとっても、ささやかなタイムマシンだったのかもしれない。

年老いた夫婦は、時の流れの止まった部屋でいったいなにをしていたのだろう。家族がみんな揃っていた頃の思い出話でもしていたのだろうか。それとも、二人ともただ黙ってクリームソーダの泡を見つめていたのだろうか。

せつなさがレイコさんの胸を満たす。

風が吹いた。庭のこいのぼりの竿《さお》のてっぺんに付いた風車が、カラカラ、と音をたてた。

おじいさんは、ぽつりと言った。

「テツジは神戸で元気にやりよるんですか」

お芝居のつづき――だ。

レイコさんはためらいながら「はい」と答えたあと、おばあさんにも聞こえるように、「テッジさん、元気でがんばってますよ」と言い直した。

おばあさんは虚空をぼんやりと見つめたまま、「テッは遅いのう……おこわが冷めてしまうが……」とつぶやいた。か細い声は、わずかに揺れて、なんだか子守歌を口ずさんでいるみたいだった。

おじいさんは聞こえなかったふりをして、レイコさんに向かってつづけた。

「テッジは、神戸で、幸せに、嫁や子どもらと一緒に……神戸で幸せに暮らしとりますか」

「はい。幸せです、テッジさん、幸せにがんばってます」

「いまは仕事が忙しいんでしょう、ちっとも梅郷に帰りゃあせんのですが」

「ええ、でも、いつもテッジさん、おっしゃってますよ、お父さんとお母さん、元気にやってるだろうか、風邪なんかひいてないだろうか、って……」

レイコさんの前に置かれた山菜おこわの皿に、おばあさんの手が伸びた。

「おこわが冷めてしまうけん……テッはおこわが好きなけん……温め直してきてやらんと……冷めたおこわは、美味《おい》しゅうないけんなあ……」

おばあさんは、みんなのおこわの皿をお盆に戻した。

「おう、危ないけん、わしが台所まで持っていってやるけん」

おばあさんを制して、おじいさんが両手でお盆を持った。

「なあ、お父さん、テツはまだかなあ……まだ帰ってこんのかなあ……早う帰らんと、おなかが空《す》いてしまうが……」

「もうじきじゃ、もうじき帰ってくるわい。ほれ、ばあさん、台所に行こう。おこわを温め直してやってくれえ」

「テツは、おこわが好きなけん……冷めたら、美味しゅうないけん……」

「そうじゃそうじゃ、熱いのを食わせたってくれえ。テツはぎょうさん食うんじゃけえ、のう、ばあさん」

おばあさんと一緒に台所に向かったおじいさんは、ほどなく一人で居間に戻ってきた。目が赤かった。「すみませんでしたのう」とレイコさんに礼を言う声も、泣きだす寸前のように震えていた。

「あの……もうすぐ、息子さんの代わり、連れて来ますから」

戸惑いながら言って、「ちょっと若すぎるかもしれないんですけど」と付け加えたら、おじいさんの目から涙がこぼれ落ちた。

「テツは、ほんまは、もうウチに帰ってきとるんじゃ。テツも、嫁も、孫も」

静かに言って、部屋の隅に顎《あご》をしゃくった。

そこには――仏壇が、あった。

交通事故だった。ドライブ帰りに居眠り運転でセンターラインを越え、大型トラックに衝突して、テツジさんも、奥さんのサナエさんも、息子のケイイチくんも、一家三人、全員即死。十年前のことだ。

「神戸で葬式を出して、お骨も神戸の霊園を買うて、そこに入れてやった。そりゃそうじゃろう？　なあ、テツは梅郷にはなんの関係もないんじゃ。友だちもおらんような梅郷の山の中に墓をつくってやっても、寂しいだけよ。嫁も孫も寂しいよ。かわいそうな死に方をしたんじゃけえ、死んだあとまで馴染《なじ》みのない土地に連れて来ることはなかろうが。のう、ふるさとに根付かんと都会に出るいうんは、そういうことなんよ……」

おじいさんは手酌でビールをグラスに注いで、一息に、呷《あお》るように飲んだ。

「最初は、ばあさんもわかっとった。それでも、おとしぐらいから、だんだん、つらい思い出は忘れるようになったんじゃ。それでええよ。そのほうがええ。わしはそげん思うとる。長生きしとるごほうびに、楽しい思い出だけを残してくれたんよ、神さんが」

台所のほうから物音が聞こえる。おばあさんは、山菜おこわを蒸籠《せいろ》でふかし直しているのだろう。「ただいま！」と言って帰ってくるはずの息子たちのために。

おじいさんは座卓の下から大きな紙バッグを出した。「これ、約束しとったこいのぼりじゃ」とレイコさんに差し出して、「孫が生まれたときに買うたんよ」と洟《はな》を啜りながら、寂しそうに笑った。

「ちょうど定年退職して梅郷に帰ってきた年じゃった。それまではずうっと社宅住まいじゃったけえ、息子ができても、こいのぼりは揚げられんかった。梅郷に帰ったら、わしの親父とおふくろが立ててくれた竿があるけえ……孫は、幼稚園の頃は、こいのぼりを見るんを楽しみにしてくれてのう。大喜びして、『こいのぼり』の歌を歌うんじゃ、なんべんもなんべんも。わしとばあさんにも、一緒に歌え歌え言うての、往生したで」

こいのぼりの竿は、テツジさんが生まれたときに、初めての内孫のためにカズさんが立てたのだという。だが、テツジさんの記憶には、その竿につながれたこいのぼりが泳ぐ光景は残っていない。テツジさんの息子のケイイチくんも、同じ。

「盆や正月には帰ってきても、五月の連休は、子どもが幼稚園の頃はともかく、学校に通うようになったら、なかなか梅郷までは帰れんよ。わしもそうじゃったし、テツジもそうじゃった。因果なもんよ。二代つづけて、跡取り息子が外に出てしもうたんじゃけえ……ほいでも、もう、三代目はないんじゃのう……」

風が吹く。こいのぼりの竿の風車が、また、カラカラ、カラカラ、と鳴った。その音を、かつてカズさんが聴き、いま、おじいさんが聴いている。カズさんが揚げたこいのぼりも、おじいさんが揚げたこいのぼりも、ほんとうに見てほしいひとには見てもらえないまま、毎年、五月の空を泳ぎつづけたのだ。

レイコさんは口を開きかけて、閉じる。何度もそれを繰り返す。なにかを言いたい。なにかをおじいさんに伝えたい。だが、その思いを伝える言葉が見つからない。

携帯電話が鳴った。イネちゃんからだった。

「ちょっと、すみません」とおじいさんにことわって、居間の外に出た。

「レイコ？　あのね、あと五、六分でそっちに着くんだけど、どう？　調子は。うまくごまかしてくれてる？」

台所が見える。コンロにかけた蒸籠に向き合うおばあさんの小さな背中が、見える。蒸籠からたちのぼる湯気の中に、おばあさんはいまどんな光景を見ているのだろう。

そこではテツジさんも元気に笑っているのだろうか。

「もしもし？　レイコ？　聞こえてる？　いまさあ、タカツグの服、借りてきたのよ。ヒデちゃんの持ってる白のスーツ、いいよなかなか、うん、ね、タカツグ、あんたけっこう似合うよ、頭が悪そうに見える服のほうが似合うの、なんつって……」

レイコさんは息を小さく吸って、言った。

「来ないで」

「はあ？？」

「タカツグを連れて来ないでほしいの。やめよう、そういうの」

「ちょっと、なに、どうしたの？　なにかあったの？」

「……嘘、つきたくない。ごめん、ほんとに来ないで」

「ってさあ、じゃあ、どーすんのよ、あんた一人で」

「なんとかする」

そのまま電話を切った。居間に戻ると、おじいさんはあらためて紙バッグをレイコさんに差し出した。

「これ、使うてくれればええけん。もう返さんでもええ。ウチには、もう要らんもんじゃけえ……」

膝をそろえて両手で受け取った。胸の奥にある思いを確かめるように、正座をしたまま、バッグを強く抱いて、「いまから、これ、揚げませんか？」と言った。

きょとんとするおじいさんに、バッグを抱いたまま、頭を深々と下げた。

「わたし、手伝います。手伝わせてください。お願いします！」

おせっかいかもしれない。かえって二人を傷つけてしまうかもしれない。

それでも、もう一度だけ、五月の空にこいのぼりが泳ぐ姿を、おじいさんとおばあさんに見せてあげたい、と思った。テツジさんとサナエさんとケイイチくんにも、そしてカズさんにも、空の上から見てもらいたかった。

「お願いします！　こいのぼり揚げさせてください！」

畳におでこをすりつけて、顔を上げると、おばあさんが戸口に立っていた。まなざしはあいかわらず虚空に放られたままだったが、顔は笑っていた。うれしそうな笑顔だった。

「こいのぼり……テツが喜ぶなあ、お父さん……テツ、喜ぶなあ……なあ、お父さん……」

おばあさんの声は、子守歌のように聞こえた。

おじいさんと二人で、こいのぼりをつないだロープをうんうん言いながら引っ張った。縁側にちょこんと座っているおばあさんに早く見せてあげたくても、こいのぼりは予想していたよりずっと重い。ロープが指に食い込んで、痛くてしかたない。おじいさんもキツそうだ。倒れるんじゃないかと思うぐらい顔を真っ赤にしてがんばっているが、こいのぼりはなかなか揚がらない。

遠くから矢沢永吉の歌が聞こえた。驚いて振り向くと、イネちゃんのスカGが坂道の入り口で停まったところだった。

車から降りたイネちゃんは、レイコさんたちがこいのぼりの竿《さお》のそばにいることに気づくと、察しよく大きくうなずいた。

「ご近所の若い者でーす！　通りすがりに手伝わせてもらいまーす！」

両手をメガホンにして言って、純白のスーツに身を包んだタカツグと麗央くんをせきたてるようにして、坂道を小走りに登ってきた。

よけいなことはなにも言わずに、こいのぼりのロープをグッとつかんで、「みんなでがんばりましょーっ！」と引っ張っていく。

いま必要なことをしてあげるのが親切の基本——ほんとうにそのとおりだった。

助《すけ》っ人《と》が三人加わったおかげで、こいのぼりはなんとか揚がった。

「やったね！」とイネちゃんはバンザイをした。おじいさんは万感のこもった顔でこいのぼりを見上げる。タカツグは、いつものようにボーッとした顔のまま、まだなにがなんだか話が呑《の》み込めていないみたいだった。

レイコさんは縁側を振り向いた。おばあさんは柱にもたれかかって、うたた寝していた。

起こしてあげなくちゃ、と駆け寄ろうとしたら、おじいさんは後ろから肩に手を載せて、「ええんよ、寝かせといてやってくれ」と笑った。「疲れたんよ。今日は早起きして、がんばってごちそうつくったんじゃけえ……あんたら、ばあさんが寝とるうちに帰ってくれればええ」

おじいさんはそう言って、ゆっくりと縁側に向かい、おばあさんの隣に座った。うんうん、と小さくうなずいてこいのぼりを見上げ、おばあさんの肩を包むように抱く。

おばあさんは気持ちよさそうに眠っていた。楽しい夢を見ているのか、寝顔が微笑んだ。

こいのぼりは風を呑み込んで、身をくねらせながら夕方の空を泳ぐ。

麗央くんはイネちゃんと一緒に『こいのぼり』を歌った。レイコさんもそっと口ずさむ。

こいのぼりの大きな目玉が、西日の照り返しで、キラッと光った。

涙のように、見えた。

第三話　フルサトガエル

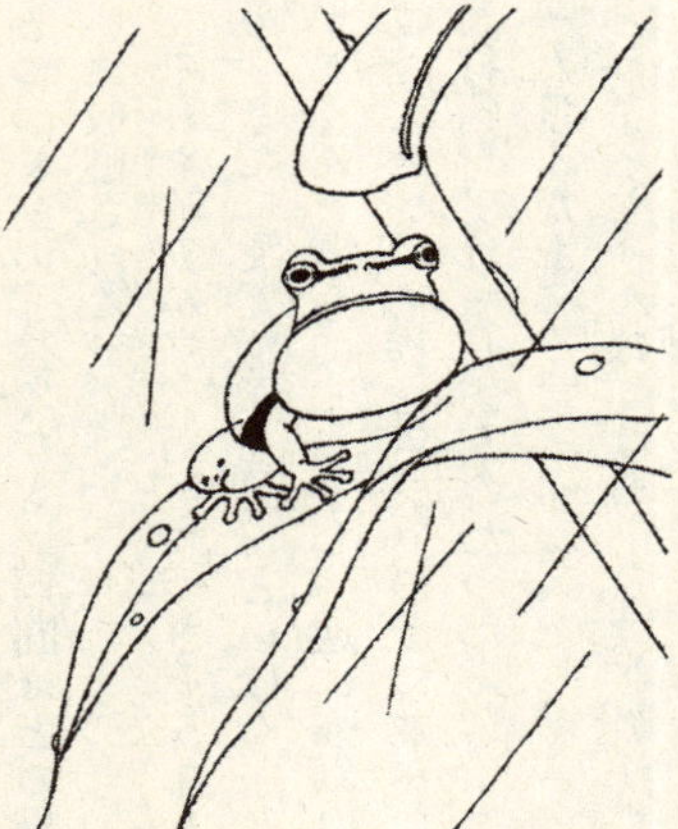

1

梅郷が一年で最もにぎわう時季がめぐってきた。

梅雨入りした直後――雨の日がだらだらとつづく前の、長くても一週間ほどの日々。町の名前の由来でもある梅の実が、いっせいに収穫される。

昔は天日干しだったので、梅雨の晴れ間、それも晴天が二、三日つづきそうなときを狙わないと収穫できなかった。慎重になりすぎて「まだ様子を見んといけん」と言っていると、摘みどきを逃して青梅の品質ががくんと落ちてしまうし、逆に強気のあまり「だいじょうぶだいじょうぶ、降りゃあせんわい」と梅をムシロの上に並べたあとで雨が降ってしまうと、それこそ致命的な打撃を受けてしまうのだった。

「あんたのじいさんは、ほんまに名人じゃったけんなあ……」

キミ婆がお茶を啜《すす》りながらしみじみ言うと、イネちゃんは「はあ……」と照れくさそうにうなずき、レイコさんを振り向いて「このお菓子、美味《おい》しい」と話を変えた。

だが、その程度のことでは、キミ婆の昔ばなしは終わらない。

「役場も農協も地区の役員さんも、みーんな、コウゾウさんにおうかがいをたてとったんよ。明日《あした》はどうじゃろうか、そろそろ干せるじゃろうか、いうてなあ」

コウゾウさんというのが、イネちゃんのおじいちゃん。もう七、八年前、イネちゃんとレイコさんが中学生の頃に亡くなった、梅郷一の「天気読み」の達人だった。

「コウゾウさんが梅を干すのを見かけたら、もう、みんな仕事も学校も放ったらかして、家中総出で庭にムシロを広げとったんじゃけん」

「学校も休んでたの？」

レイコさんが訊《き》くと、キミ婆は「あたりまえじゃが」と笑った。「家の仕事は、家のみんなでする、それが昔はあたりまえのことじゃったんよ」

と言われても、レイコさんにはピンと来ない。七十六歳のキミ婆の話に出てくる「昔」は、たいがい、レイコさんの父親の隆造さんがまだ独身だった頃を指す。「昔むかし」と重なると、キミ婆が若かった頃。で、レイコさんがものごころついてからの出来事は、まとめて「つい、このまえ」になる。

「NHKの天気予報より、コウゾウさんの言うことのほうが、よっぽど信用できた。ほんまに頼りになるひとじゃったけんねえ」

イネちゃんはあいかわらず「はあ……」と肩をすぼめるだけだった。

キミ婆はお茶に煎餅《せんべい》をひたしながら、「イネちゃんとレイちゃんの七五三の日もそうじゃったんよ」と言った。

三歳のときの七五三だった。その日は朝から雨が降っていたので、レイコさんの家でもイネちゃんの家でも「晴れ着でお参りするんは無理じゃろうねえ」とあきらめていた。ところがコウゾウさんだけは「いいや、昼前にはあがる」と言い張った。わざわざ高台にある溜《た》め池まで出かけてアメンボの動きを見て、この雨は長くはつづかない、と読んだのだという。

半信半疑のまま、それでも梅郷一の「天気読み」の言うことだから、と予定通り美容院に出かけて髪を結ってもらい、晴れ着の着付けをしてもらっていたら、コウゾウさんの言葉どおり昼前に雨があがり、出雲《いずも》大社の分院に出かける頃には陽も射していたのだ。

「ほんまに、たいしたもんじゃったんよ、あんたのおじいちゃんは」

イネちゃんは黙ってうなずくだけで、返事をしなかった。

ちょっとヘンだな、とレイコさんはイネちゃんの横顔をちらりと見た。

キミ婆は、いまさらあらためて緊張するような相手ではない。コウゾウさんだって、イネちゃんが子どもの頃にはいつも肩車してくれていた優しいおじいちゃんだ。おしゃべりがどんどん盛り上がっていってもふしぎではないのに、イネちゃんはちっとも乗ってこない。

キミ婆も拍子抜けした様子で、お茶にひたしてやわらかくした煎餅をかじった。

窓の外は、雨。強い降り方ではないけれど、そのぶん長く降りつづきそうな雨脚だった。

梅の収穫はあらかた終わっている。いまは天日干しをする家もだいぶ少なくなったし、そもそも梅林そのものも減ったので、雲行きを気にして悩むこともない。コウゾウさんがいまも健在だとしても、いまはもう天気読みの力はそれほど重宝されないかもしれない。

話を盛り上げてくれないイネちゃんに代わって、レイコさんがキミ婆に「天気読みって、なにかコツでもあるの？」と訊いた。

「まあ、昔から、『権現山の右側に雲のかかっとるうちは晴れる』やら、『梅郷川で魚が跳ねよるときは雨になる』やら、よう言うとったけどなあ」

「でも、それだと、べつにコウゾウさんじゃなくてもできるわけだよね」

「そうなんよ、コウゾウさんはなあ、コウゾウさんにしかわからん天気の読み方をしとりんさった」

「どんなの？」

「若い頃に足の骨を折る大ケガをしんさったけえ、冬場はその傷の疼《うず》き方で天気を読みよったんよ。『膝の奥のほうがズキズキするときは雪が降る』やら、『手術した傷跡がかゆうてかなわんけん、しばらく空気の乾いたええ天気がつづくわい』やら、よう言いよりんさった」

なあ、そうじゃったよなあ、とキミ婆は笑いながらイネちゃんのほうを見たが、イネちゃんは今度もまた、「はあ……」としか応《こた》えなかった。

やっぱり、おかしい――。

そもそも、いきなり家を訪ねてきたところから少しヘンだった。ケータイで「いまから遊びに行くから」という連絡すらよこさなかった。「保育園のお迎えまで暇だから」と、レイコさんが理由を訊く前に言って、「なにか新しいCDあったら貸してよ」と勝手に二階に上がろうとしたところを、居間でテレビを観ていたキミ婆につかまったのだ。

キミ婆の思い出話は、さらにつづく。

「春先は、家の裏手の山の雪の融《と》け具合で、『もう寒は戻らんじゃろう』やら『もういっぺんぐらい雪が積もるかもしれんけえ、畑のムシロは出したままにしとかんといけん』やら……ほいでも、この頃は雪もめったに積もらんようになったけん、コウゾウさんも生きとったら困っとるかもしれんなあ」

イネちゃんは黙ってお茶を啜る。なんだか疲れているようにも見える。

「おばあちゃん、じゃあ、わたしたち二階に……」とレイコさんが口を挟んでも、いったん思い出にひたってしまったキミ婆の話は止まらない。

「梅を干す時分になったら、カエルじゃった。家の前の田んぼでカエルが鳴くんを聞いて、『もうじき雨が来る』やら『あさってぐらいまでは天気がもつじゃろう』やら……ばあちゃんが聞いたら、みーんなおんなじようにしか聞こえんのじゃけど、コウゾウさんにはわかるんよなあ、ちょっとした違いが。たいしたもんじゃった、ほんま、たいした……」

「レイコ、二階に行こう」

キミ婆の言葉をさえぎって、イネちゃんは強い口調で言った。

レイコさんが応える間もなく、一人で立ち上がり、「ごちそうさまでした」と早口に言って、そのまま居間を出て行ってしまった。

残されたレイコさんとキミ婆は、唖然《あぜん》とした顔を見合わせるだけだった。

「どうしたの？」

レイコさんが訊いても、イネちゃんは返事をしない。ベッドの縁に腰かけて、窓の外をじっと見つめている。

「さっきのおばあちゃんの話で……怒っちゃったの？」

無言でかぶりを振る。

「なにか話があってウチに来たの？」

これも、だめ。

「そういえば、イネちゃん、最近お店に来てないよね。イネちゃんが来てくれないと売り上げがぜんぜん伸びないって、タカツグ、落ち込んでたよ」

あいかわらず、返事はない。レイコさんも困惑して、黙り込んでしまった。静けさのなか、雨音だけが途切れなく聞こえる。今年の梅雨は長引きそうだと、何日か前の新聞に出ていた。

「……ねえ」

イネちゃんが、やっと口を開いた。思わず勢い込んで「なに？」と訊くと、「窓、開けていい？」──それだけ。

言われたとおり、机の横の窓を少しだけ開けた。

「もっと開けてくれる？　いっぱいに」

「……いいけど」

窓を開け放つと、湿り気をたっぷり含んだ外の空気が、かすかな風になって部屋に流れ込んできた。草のにおいがする。土や泥のにおいもする。

イネちゃんはゆっくりと深呼吸をして、吐き出す息と一緒に肩を落とした。

「田舎の雨の音って、いいね」

やっとレイコさんを振り向いて、「わたし、田舎は雨の日がいちばん好きだな」と笑う。

「そう？」

「うん、だって……東京に比べると、雨の音がやわらかいと思わない？ アスファルトとかコンクリートだったら、雨は地面に落ちても跳ね返るじゃん。なんか、痛い音がするんだよね。でも、田舎って、田んぼとか畑とか山とか、みーんな、雨を吸い込んじゃうでしょ。それがいいんだよなあ、ほんと」

珍しく、ふるさとを手放しで褒めている。

最近イネちゃんと会ったのは、十日ほど前のことだった。『ウッド・フィールズ』で店番をしていたら、いつもの元・不良グループと連れだって歌いに来た。そのときには、歌の合間にロビーに出てきては、「あー、もう田舎ってマジ退屈、なーんにもすることないもんね」とぼやいていたのだが。

「梅雨どきの梅郷って、家出してから、ずっと帰ったことなかったなあ」

イネちゃんはまた、窓の外に目を移してしまった。「お正月でもお盆でもないし、連休なんかもないし……ほんと、家出して以来初めてだよ」とつづけ、「レイコは？」と訊《き》いてくる。

「わたしも、初めて」

東京で過ごした三年間の受験生活では、六月は夏休み前の、車でいうならギアが一段高くなる時期だった。

「あーあ、でも、ひさしぶりだったなあ、おじいちゃんの天気読みのこと思いだしたの」

イネちゃんは、ベッドに仰向《あおむ》けに寝ころんだ。

「雪の話とか、骨折の傷跡の話とか、知ってたの？」

「あたりまえじゃん、あとね、春と秋の雨はクワでわかるんだって」

「クワ？」

「そう。畑仕事してて、クワの柄がなんとなく重く感じる日は、だいたい夜になると雨が降っちゃうって。湿気なんだろうね、ポイントは」

なるほど、とレイコさんはうなずいた。

「あとはねえ、夕立かな。これはわりとぎりぎりにならないとわからないんだけど、鎌で草刈りしてると、石に当たったりするじゃん、そのときの音の違いでわかるんだって。夕立が近いときは、音がちょっと高いんだっけかな、逆だったかな……とにかく、それでわかるの。洗濯物を取り込んだりするときには役に立つよね」

「すごいね、コウゾウさんって」

「細かい見分け方とかは他人にはほとんど教えなかったんだけど、わたしにはよく教えてくれたんだよね」

ちょっと自慢するように言ったものの、すぐに「もうぜんぶ忘れちゃったけど……

…」と寂しそうに付け加える。

「おじいちゃんが亡くなったのって、いつだっけ？」

「中二の夏休み。七月の終わりに入院して、一ヵ月たらずで死んじゃった」

「……そう」

「ガンだったけど、早かったなあ。なんかもう、病院で検査受けたときには体じゅうボロボロだった、って」

そういえば、イネちゃんが不良っぽくなったのは、中学生の後半、二年生の秋口あたりからだった。急に学校に遅刻することが増えてきて、先生に注意されるとくってかかるようにもなって、成績も見る間に落ちていったのだ。

「お天気のことは読めるのに、なーんで自分の体のことがわかんなかったかなあ、じーちゃんも」

あきれたように笑ったイネちゃんは、同じ笑顔で、レイコさんを訪ねた本題をようやく切り出した。

「最近さあ、ダンナから電話がかかってきてるんだよね……もう、毎日」

ごろん、と寝返りを打って、レイコさんに背中を向ける。

「もう一回やり直そうやり直そうって……しつこいんだよねえ……」

その夜、レイコさんはなかなか寝付けなかった。田んぼで大合唱するカエルの声が耳についてしかたない。雨はあいかわらず降りつづいているし、昼間窓をいっぱいに開けていたせいで、シーツや布団がなにかじっとりと湿ってしまい、ひどく蒸し暑い。しばらくベッドの上でごろごろしていたが、こんなことしてるぐらいなら、と起き出して、机に向かった。

五月の全国模試の結果が、先週わかった。郵送された成績表を見ていると、ため息しか出てこなかった。

第一志望は東大文科I類——合否判定は、可能性三〇パーセント前後のD。

第二志望は東大文科II類——こちらはボーダーラインのC。

成績そのものよりも、志望校のところでため息が出てしまう。ほんとうは、どちらも「志望」なんてしていない。文Iの法学部も、文IIの経済学部も、興味はない。現役時代を含めてつごう四回挑んだ東大受験はずっと文科III類、文学部に進むコースだった。

だが、都落ちまでして、いままでと同じ学部を志望校にするのは、どうしても悔しかった。文IIIよりもレベルの高い文IIと文Iを「志望」することで、なんとか自分自身に対するプライドを保った。ばかばかしい。われながら情けない。そのうえ、第三志望を文IIIにするのならまだしも、地元の国立の山陽大学——しかも三浪の回り道に多少なりとも意味のありそうな医学部にしてしまうのだから、ほんとうにタチが悪い。

山陽大学医学部は、合否判定でBに食い込んだ。文系中心の受験勉強でそこまでの成績を挙げられるのなら、いまのうちに理系にしっかり切り替えておけば、意外と本番でもうまくいくかもしれない。両親から「大学に行くのなら」と出された地元・国立という条件はクリアしているし、医学部の学費の高さも、なんとか許してもらえるだろう。

……もちろん、わかっている。そんなめちゃくちゃな「志望」なんて、頭の片隅に思い浮かべるだけで、自己嫌悪に頭を抱え込みたくなる。

カエルの大合唱は、日付が変わった頃にはほとんど聞こえなくなった。雨はあいかわらず降りつづいているが、雨脚は少し弱くなったようだ。

問題集を閉じて、昼間のイネちゃんのことをぼんやりと思いだした。

イネちゃんは「ダンナと別れて梅郷に帰ってきた」と言っていたが、まだ正式に離婚したわけではなかった。署名捺印《なついん》をした離婚届を置き手紙代わりにして、麗央くんを連れて家を出ていっただけだった。

「でも、実質的には終わりだよね、そんなの。とにかく、もう、こっちにはやり直す気がないんだから。あとは向こうが自分の名前を書いて、ハンコを捺《お》して、区役所に出してくれれば、それでおしまいだったわけ」

ところが、ダンナは離婚届を提出するどころか、必死になってイネちゃんと麗央くんを探しまわった。

「梅郷に帰ってるのがバレたのは、先月の初めだったの」

意外と遅かった。イネちゃんは「わたしは東京に友だちがたーくさんいるからね、レイコと違って」と笑ってごまかしたが、それはつまり、イネちゃんとふるさとの関係をダンナもよくわかっていた、ということでもあった。

「まさか梅郷には帰ってないだろうとタカをくってたわけだよね。子連れのバツイチで家に帰るなんて、言ってみれば、最終兵器みたいなものだから。要するに、本気を見せたわけ。本気で別れたいんだぞ、って」

イネちゃんは、ダンナのもとを飛び出した理由については教えてくれず、ダンナがなにをしているどんなひとなのかも、わからないままだった。ガラの悪さや不良っぽさで人気を集めている俳優やアーティストやお笑いタレントを何人か思い浮かべて、だいたいこんな感じなんだろうな、と見当をつけるしかない。

「わたしが梅郷に帰ってるってことで、彼もいったんはあきらめてくれたんだけどね……やっぱりまだ踏ん切りがつかないみたいで、未練がましくグチャグチャ言ってくるの。しまいには、梅郷まで行くから、とか言いだしちゃって……マジ、まいってんだよねえ……」

イネちゃんは疲れきった声で言って、レイコさんが「お父さんやお母さんに相談したの？」と訊《き》くと、もっと疲れた様子で苦笑した。

「子連れで帰ってきただけでも肩身の狭い思いさせてるのに、ダンナと別れ話でもめてまーす、なんて言えないよ」

「でも……どんなに向こうがやり直したくても、結局はイネちゃんの気持ちしだいなんだし……」

「そこなんだよねえ、問題は」

「え？」

「だんだんわかんなくなってきちゃった。わたし、ほんとに本気で別れたかったのかなあ、って。そういうこと考えていくとさあ、なんで彼と結婚したんだろうなあ、とかまで思っちゃうわけ。で、しまいには、なんで高校生のときに家出しちゃったんだっけ、って……そこまでさかのぼっちゃうんだよね」

イネちゃんは「いーかげんだよね」と、「おつむてんてん」のジェスチャーをした。

確かに、いいかげんな話だった。だが、レイコさんには、そのいいかげんさが、なんとなくわかる。似てるな、とも思う。大学受験と夫婦の別れ話——矢印の向かう方向は正反対でも、出発点は同じなのかもしれない。

イネちゃんは「ま、そーゆー事情なんで」とベッドから体を起こし、「あいつ、近いうちに梅郷に来ると思うのね」と言った。最初は「向こう」だったダンナの呼び方が、「彼」になり、「あいつ」に変わった。

「いきなり家に来られたら、マジに困っちゃうわけ」

「……だよね」

「で、とりあえず、『ウッド・フィールズ』で食い止めようと思ってるわけ」

「は？」

「あいつには、いま『ウッド・フィールズ』でバイトしてるって言ったの。だから、もし乗り込んでくるとしたら、まず最初にそこに来ると思うんだよね」

「……ちょっと、それマジ？」

「こーゆー顔の男がお店に来たら、わたしのケータイに速攻で連絡してくんないかなあ。お店に貼っといてもいいから」

そう言ってイネちゃんが差し出した写真には、いかにも真面目で、ひ弱そうな——『サザエさん』のマスオさんに似た若い男が写っていたのだ。

2

雨がつづく。

新聞が伝えていたとおり、今年の梅雨はかなり雨が多そうだった。

カラオケボックスにとっては、雨つづきの毎日は悪くない。畑や田んぼで作業のできない農家のひとが連れ立って歌いに来るからだ。

六月下旬のこの日も、そう。高校の授業を終えて『ウッド・フィールズ』に来たタカツグに、昼間の店番だったレイコさんは「満室だよ」と伝えた。

だが、タカツグはたいして喜びもせず、カウンターに置いた伝票を確認して、かなわんのう、とため息をついた。

「なあ、お姉ちゃん、やっぱり持ち物チェックしたほうがええと思わん？」

「でも、おばあちゃんもお母さんも絶対にだめだって言ってるじゃない」

お客さんにそげな失礼なことをしたらいけん――いつもはなにかにつけて意見のぶつかるキミ婆と珠代さんが、これだけは一致している。鞄《かばん》の中身をあらためるのは、相手を泥棒扱いしているのと同じことなのだという。

「ほいでも、ほとんど部屋代しか儲《もう》からんのじゃけん、率が悪すぎるよ、ほんま」

「まあねえ……」

「定員はどんな？　みんな守っとった？」

レイコさんは肩をすくめて首を横に振る。

「しっかりしてくれえや、お姉ちゃんも。消防法で定員が決まっとるんじゃけん、抜き打ちで検査されたら、営業停止になるんど」

「そんなこと言われたって、しょうがないじゃない、みんなわかってないんだから」

「『定員厳守』いうて、貼り紙しようか」

「無駄だと思うけど……」

だって、ほら、とレイコさんは受付カウンターの中に貼った紙を指差した。

〈食べ物・飲み物の持ち込みはご遠慮ください〉

「だーれも見てないんだもん、こんなの貼ったって」

「『ご遠慮』が弱いんよ。『厳禁』にして、ついでに『持ち込みを発見したら罰金一万円もらいます』とか書いて……」

タカツグは伝票の一枚を手に取って、「そげんでもせんと商売にならんよ、ほんま」とつぶやいた。

伝票は、入室時刻を書き入れただけで、あとは真っ白だった。要するに、食べ物や飲み物の注文はいっさいない、ということだった。

お年寄りのグループは、たいがいそうだ。お菓子も果物も水筒に入れたお茶も、すべて家から持ち寄ってくる。大きな弁当箱におにぎりや卵焼きや煮しめを詰めてくるおばあさんもいるし、カップ酒を持ち込むおじいさんもいる。ほとんどお花見気分な

ーヒー ¥300-
アイスコーヒー ¥350-
アイスティー ¥350-
メロンソーダ ¥380-
トマトジュース ¥380-
生ビール
¥500-

のだ。

　おまけに「詰めりゃあ入れる入れる」と定員四名の部屋を平気で七、八人で使って、「わしゃあ床に座っとりゃええんじゃけん」と言うおじいさんまで出てくる始末で、さらに、さすがにタカツグには言えなかったが、ついさっき、レイコさんはトイレにたったおばあさんたちがしゃべっていた話を聞いてしまった。「これでお風呂《ふろ》が付いとったら、極楽じゃねえ」「ほんまほんま、あとはカラオケのテレビでNHKも観られるようにしてもらえれば、うちら、もう家に帰らんでもええわ」……。

『ウッド・フィールズ』でお金がかかるのは、一部屋単位の室料と、飲食代金のみ。カラオケ歌い放題という破格のサービスを敢行しているぶん、二部屋ぶんの人数が一部屋に集まり、飲み食いを持ち込みでおさめられては、商売あがったりなのだ。

「カネのこともあるんじゃけど、とにかく時間が長いんよ。夕方になって学校の連れがせっかく歌いに来ても満室なんじゃけん、俺、友だちに顔が立たんよ。こないだなんか、お姉ちゃんが帰ったあと……」

　放っておけば延々つづきそうな愚痴を、レイコさんは両手でさえぎった。

「タカツグ、最近愚痴が増えたよ」

「そげんことないじゃろ」

「増えたってば。なんか、家でもイライラしてるし」

「……雨で運動不足じゃけん」

そっぽを向いて言う。正面から向き合って答えないところに、微妙な、たぶん自分でも意識せずについている嘘が見え隠れする。

カウンターの上に広げていた受験参考書を片づけながら、レイコさんは言った。

「これからずーっと、そうなんだよ」

「え？」

「『ウッド・フィールズ』の店長をやってるかぎり、ずーっと、お年寄りの相手しなくちゃいけないんだから。あんたにその覚悟あるの？」

「……ある」

声が、とたんにか細くなってしまう。嘘のつけない性格だ。キミ婆や珠代さんの決めたことに「NO！」と言いきれない性格でもある。そして、レイコさんは、弟のそんな煮えきらなさが我慢できない性格の持ち主だった。

「大学、ほんとに受けないの？」

タカツグは黙ってカウンターの中に入り、高校の制服のカッターシャツの上にエプロンをつけた。

「受けるだけでも受けてみればいいんじゃない？　行くか行かないかなんて、あとから考えればいいんだから」

「ええよ、どうせ行かんのはわかっとるけん」

「なんで？　あとで、ここから出て行きたくなるかもしれないじゃん。最初から受験しないって決めちゃったら、あんた、ほんとに梅郷から逃げられなくなっちゃうよ」

タカツグはまた黙り込んで冷蔵庫のドアを開け、ミネラルウォーターのミニペットボトルを取り出した。栓を開け、ごくごくと喉《のど》を鳴らして飲んで、折り畳み式の椅子を広げて腰を下ろす。

「なあ、お姉ちゃん」

手に持ったペットボトルのラベルに目を落とし、ぽつりと言う。

「なして、逃げるとか出て行けんようになるとか、そげん言い方する？　俺、そんなこといっぺんも思うたことないし……ようわからん、お姉ちゃんの言いよること」

「だったら、あんた一生梅郷でいいの？　こんな田舎の、過疎の、年寄りしかいない町でいいの？」

タカツグは少し考えてから、「ええとか悪いとか、思うたことないよ」と言った。

「俺、お姉ちゃんとは違うもん」

今度はレイコさんのほうが黙り込んだ。逃げたかった。出て行きたかった。けれど、結局どこへも行けずに、逃げそこねたふるさとに帰ってきた。

「お姉ちゃん、ほんまにまた受験するん？」

「……する」

「もう東京の大学は受けんのやろ？」

「そんなの……わかんないよ、まだ志望校決めてないし」

「でも、親父やおふくろは、行くんじゃったら山陽大以外はいけん、言いよるが。山陽大じゃったら梅郷から通えるけど……」

それでええんか？　と目で訊《き》かれて、レイコさんは黙ってそっぽを向く。攻守は完全に入れ替わってしまった。

タカツグはミネラルウォーターをもう一口飲んで、「ああ、そうだ」と話を変えた。忘れ物をふと思いだしたような声や顔は、本音だったのか、お芝居なのか、レイコさんには読み取れなかった。

「マスオさん、まだ来とらんよな？」

「……うん」

「電話もないよな？」

「ないない、なにも」

「ゆうべもイネちゃんから電話あったよ、俺のケータイに。あのひと来とらんよね？　いうて。ほんまにマスオさんのこと嫌がっとるんやね」

ほんとうの名前をイネちゃんから聞き出せないまま、「マスオさん」の呼び名がすっかり馴染《なじ》んでしまった。だが、そのヤサ男のイメージを鵜呑《うの》みにするのは危険だろう。

「あと……意外と怖がってんのかもね」

タカツグが言うとおり、あらゆることに対して「まあ、いいじゃん」の許容範囲の広いイネちゃんが離婚を決意して、家出をした梅郷の実家に逃げ帰るほどなのだから、きっと、虐待か酒乱か博打《ばくち》に溺《おぼ》れたか、いずれにしても外見とは裏腹のとんでもない男だという恐れは大いにある。

「イネちゃんも、ああ見えて苦労してきたんだろうね……」

レイコさんがため息交じりに言うと、タカツグも「おふくろもそげん言うとったよ」と応《こた》え、「東京に行って幸せになった者は梅郷には一人もおらん、って」

「なにそれ、めちゃくちゃなこと言って」

「知らんよ、俺が言うたんと違うもん」

タカツグは冷蔵庫のドアに手を伸ばし、マグネットピンで貼ったマスオさんの写真をまっすぐに貼り直した。事情を知っているのはレイコさんとタカツグだけ。おしゃべりな珠代さんには、「一見《いちげん》さんのお客さんの忘れ物」とだけ写真のことを説明しておいた。

「もし、ほんとにマスオさんが梅郷まで追いかけてきたら、イネちゃん、今度はどこに逃げるんだろうね」

「でも……なんか、俺の気のせいかもしれんけど、イネちゃん、待っとるような感じもするんよ」

「マスオさんを？」

まさか、とレイコさんは笑った。ないないない、と笑いながら顔の前で手も振った。

だが、イネちゃんは電話で「まだ来てない？」と訊いていたらしい。その「まだ」の一言がひっかかる、とタカツグは言う。

イネちゃんの話よりも、タカツグがそんな細かい言い回しを気に留めていることのほうに、少し驚いた。丸三年間——中学三年生から高校二年生まで、ほとんど会っていなかった。ぼーっとしたところはそれ以前とたいして変わっていないが、やはり、もう子どもではないのだろう。

「もしマスオさんが迎えに来たら、イネちゃん、東京に帰るんかなあ。お姉ちゃん、どげん思う？」

タカツグに訊かれて答えに詰まってしまい、「さあ……」と首をかしげていたら、ロビーのすぐ前の個室のドアが開いて、おばあさんが顔を出した。

「ああ、よかったよかった、タカちゃん来とったんか」

「あ、どーも、平田《ひらた》のおばちゃん、いらっしゃいませ」

とっさに愛想笑いを浮かべたタカツグを、おばあさんは「ちょっとなあ、トイレに連れていくんを手伝うてくれん？」と部屋に手招きした。

「松原《まつばら》のおばあちゃんですか？」

「そうなんよ、また神経痛が出て膝《ひざ》が痛うてかなわん言いよるけん」

タカツグは、まいったなあ、という顔でカウンターを出た。それでも、松原のおばあちゃんの肩を抱いて、「はい、こっちこっち」とゆっくり歩いてトイレに向かう姿は、いまどきの高校生とは思えないほど堂に入っている。

松原のおばあちゃんは「おおきになあ、おおきになあ」と拝むように繰り返し、後ろで見守る他のお年寄りも「ウチの孫とは違うなあ」「性根が優しいんよ、タカちゃんは」「キミさんのしつけが行き届いとるんじゃろうなあ」と手放しで絶賛する。

幼い頃からいつもキミ婆にくっついて町を歩いていたせいで、タカツグは梅郷のお年寄り連中に顔が広い。評判もいい。口ではぶつくさ言いながら、お年寄りを喜ばせるコツも知っている。

七十代の「平田のおばあちゃん」を昔どおり「平田のおばちゃん」と呼び、飲み物や食べ物の持ち込みに内心では迷惑していても、「水筒の蓋《ふた》や紙コップでお茶を飲みよるのを見ると、ほっとけんよ」と湯呑《ゆの》み茶碗《ぢゃわん》を無料で貸し出す、そんな十七歳の少年は、そうざらにいるものではない。

へたに東京や大阪へ出て行くより、梅郷で『ウッド・フィールズ』の店長をつづけるほうが、タカツグには幸せなのかもしれない。

それでも、レイコさんは思う。

ほんとうに、それでいいの？　梅郷から一歩も出ずにおとなになって、一歩も出ずにおじさんになって、おじいさんになって、死んでいって……ほんとうに、それでいいの？

3

雨はその後三日間、降ったりやんだりを繰り返した。

四日目の朝には雲の切れ間から陽がわずかに覗《のぞ》いたが、昼前にレイコさんが家を出る頃には、また雨が降りだしていた。

田んぼや畑の様子を見に行くという達爺《じい》に便乗して、『ウッド・フィールズ』まで送ってもらうことになった。

軽トラックのフロントガラスは白く曇って、エアコンの風を当てると、曇りが取れる代わりに車内がぐんと冷えてしまう。半袖《はんそで》のシャツを着たレイコさんが両手を抱え込むと、達爺はエアコンを切って運転席の窓を開けてくれたが、吹き込む風にしても、七月を間近に控えているとは思えないほどの肌寒さだった。

水害や冷夏を心配するほどではなくても、とにかく今年の梅雨はぐずついた天気がつづく。家でいちばんの早起きのキミ婆は、朝はまだストーブを点《つ》けているし、新聞の地方面にも、野菜の根腐れや日照量の少なさを案じる記事が出るようになった。

「ほんとに、よく降るなあ……」

レイコさんがつぶやくと、達爺はのんびりした声で「まあ、天気と喧嘩《けんか》しても勝てりゃせんのじゃけん」と言って、煙草に火を点けた。

「おじいちゃんは『天気読み』できないの？」

「わしは、あまり勘のええほうと違うけん」

「イネちゃんのところのコウゾウさんって、すごかったんでしょ？」

「おう、コウゾウか、あいつは特別よ。あげん勘のええ『天気読み』は、梅郷には他におらんかった」

コウゾウさんと達爺は同い歳の幼なじみだった。ものごころついた頃から、というより、お互いの母親のおなかが大きな頃からの付き合いだった、らしい。

「コウゾウさんが生きてたら、今年みたいな梅雨でも、今度はいつ晴れるとか、わかってたと思う？」

「さあ……どうじゃろうのう」

達爺は、くわえ煙草で短く笑った。

「カエルの鳴き声でわかってたって、おばあちゃん言ってたね」

「コウゾウは耳もよかったけん」

無口な達爺と二人きりだと、おしゃべりはなかなか先に転がっていかない。

それでも、ぽつりぽつりと話す、その雨だれのようなテンポが、いい。気持ちが楽になる。興味があるのかないのか、達爺は決して「これからどげんするんか」とは訊《き》いてこない。だから逆に、レイコさんは「これからのこと」を話しやすくなる。

「来週、また模試なんだよね」

「そうか……がんばらにゃ、いけんの」

「でも、やっぱり予備校に行ってないから、一人きりで勉強してると、自分のポジションっていうか、そのあたりがね……」

珠代さんが聞いていたら、間違いなく「なに甘えたこと言うとるん、四浪もさせてもろうて！」と一喝されるところだ。

だが、達爺はなにも言わない。気の利いた慰めや励ましを口にしない代わりに、お説教やおせっかいもない。

「タカツグにも、模試ぐらいは受けるだけでも受けてみれば？　って言ってみたんだけど、あいつ、ぜーんぜんやる気ないんだもん」

これも、キミ婆が聞いたら、確実に「あたりまえじゃろう、タカちゃんには『ウッド・フィールズ』があるんじゃけん」と切って捨てられるはずだが、達爺は「そうか」とうなずくだけだった。

話が途切れた。レイコさんは助手席の窓を細めに開けて、湿った冷たい風を頬に当てた。『ウッド・フィールズ』までは、いま走っている県道をまっすぐに進んで、あと少し。

「コウゾウものう……」

珍しく、達爺のほうから話を切り出した。話題が急に逆戻りしてしまうところも、いかにも、だった。

「コウゾウも、天気を読むことは達者でも、自分の体のことはなんもわかっとらんかったけん……アホじゃったのう」

「おじいちゃん、それ、こないだイネちゃんも言ってた。なんで自分がガンになったこと、わかんなかったのかなあ、って」

そうか、と達爺は笑う。「あの子も優しい子じゃけん」とつぶやいて、短くなった煙草の火を消した。

「イネちゃんがどんどん悪くなって、最後は家出までしたのって、コウゾウさんが死んじゃったことと関係あるのかなあ」

「さあ……どうじゃろうの」

「おじいちゃんにすごく可愛がられてた、って言ってたし大好きだったひとがいなくなったあとは、急にその世界が嫌になるというのは、なんとなくわかるような気もする。だが、達爺は「そうだ」とも「そうじゃない」とも答えず、そのまま、話はまた途切れてしまった。レイコさんも無理には話をつづけず、窓を閉めた。

『ウッド・フィールズ』が見えてきた。

駐車場に車が一台停まっている。車内に人影も見える。お店に来たものの鍵《かぎ》が掛かっていて中に入れずにいるのだろう。

「やだ、お客さん、待たせちゃった……」

レイコさんは軽トラックが店の前で停まると、あわてて車を降りて、ドアの鍵をバッグから取り出した。

「レイコ、ちょっとわしもションベンしてええか」

歳をとってトイレの近くなった達爺も車を降りてきて、レイコさんがドアを開けると、小走りに店に駆け込んだ。

エントランスの外に残されたレイコさんは、駐車場の車を振り向いて、お待たせしました、どーぞ、とせいいっぱいの愛想笑いを浮かべた会釈で伝えた。

車から若い男が降りてきた。一人だった。傘を持っていないのか、着ていた背広を頭上にかざして雨をよけながら、駆けてくる。

見慣れない顔——だが、まったく知らないというわけではない顔。

先に店に入って客を迎えてから、気づいた。

マスオさんだった。


マスオさんは濡《ぬ》れた上着を拭《ふ》く間もなく、まっすぐに受付カウンターまで来た。

「あの、すみません……」

肩で息を継ぎながら言った。か細い声だった。頭を整理する前に体が勝手に駆けだしていたのだろう、「こちらで、あの、えーと、なんだっけ……」と一人であたふたしながら、つづける。

「あ、そうだ、野上だ、野上さん、野上稲穂さんって、あの、こちらのお店で働いてますでしょうか？」

イネちゃんとの約束どおりうなずくと、マスオさんは「そうですかぁ」と相好を崩し、張り詰めていた糸が切れたみたいにカウンターに前のめりにもたれかかった。

「いやー、昨日からずっと探してたんです、このあたりを。電話番号教えてもらってなかったし、住所も知らなかったんで……いやー、ほんと、よかったぁ……」

ほんとうにうれしそうだった。無邪気なほど、ほっとしていた。

写真の印象より若く、いっそうヤサ男に見える。表情やしぐさには真面目さと頼りなさが入り交じって、そこに世間知らずな幼さが溶け込んで……イメージとしては、大学を卒業したばかりの銀行員といった感じだ。

「それで、あの、彼女、野上さん、今日はこちらに来ますか？」

イネちゃんからは「あいつが来たら、すぐに電話して」と言われていたが、「目の前で電話してもいい」のかどうかは、わからない。

「すみません、わたしも手伝いなんでよくわかんないんですけど、ちょっと店長に電話で訊いてみます」

厨房《ちゅうぼう》に駆け込んで、イネちゃんのケータイを鳴らしてみたが――。

「ただいま、電源が切られているか、電波の届かないところに……」

応答アナウンスの声が、事務的に、冷たく響く。

まずいなあ、と電話を切ってカウンターに戻ると、ロビーではもっとややこしい状況になっていた。トイレから出てきた達爺《じい》に、マスオさんが初対面の挨拶《あいさつ》すらすっとばして、すがるように頭を下げていたのだ。

「すみません、地元の方ですよね？　申し訳ないんですが、野上稲穂さんの実家をご存じでしたら、場所、教えてもらえませんか？」

達爺は、きょとんとしたまま「はあ……ええですけど……」と答えた。

「だめ！　おじいちゃん！　教えちゃだめなの！」

レイコさんは思わず叫んだ。「このひと、イネちゃんのダンナさん！」――半分やけくそで、その一言も。


ふだんの営業ではめったに出ないホットコーヒーをいれ、そこまですることはないかな、と思いながらもフライドポテトのSサイズを付けることにした。

「おじいちゃんもコーヒー飲む？」

ロビーの椅子に座った達爺に声をかけると、じっと考えごとをしていた達爺は、「うん？」と間の抜けた声で応《こた》えた。「わしはええわ、コーヒー飲むとションベンが近うなるけん」

「おじいちゃん、心配しないでもだいじょうぶだよ。あのひと、暴れたりキレたりするようなタイプじゃなさそうだし、たとえキレても、あれならイネちゃんのほうが勝っちゃうって」

だが、達爺はにこりともせず、「男とおなごの色恋沙汰《ざた》は、よそから見てもわからんけんのう……」とつぶやく。田んぼに行くのは取りやめて、ここで事の成り行きを見守るつもりのようだ。世話焼きのキミ婆や珠代さんならともかく、達爺にしては珍しいおせっかいだった。

慣れないこと、しないほうがいいような気がするけど……と、かすかな不安を胸に、レイコさんはコーヒーとフライドポテトをトレイに載せて、四人用の個室まで運んだ。

ドアを開ける。マスオさんは部屋に入ったときと同じ位置、同じ姿勢で、ソファーに座っていた。

「あの……コーヒーでも、どうですか?」

マスオさんはハッと我に返って、「あ、すみません、ありがとうございます」と頭をぺこぺこ下げながら財布を取り出しかけた。

「サービスですから、これ」

「あ、そうですか、どうもすみません、いただきます、すみません」

「イネちゃんのケータイ、まだつながらないんですよ。でも、こまめに電話かけてみますから、もうちょっと待っててください」

「あ、はい、それはもう、はい、すみません、ほんと、すみません……」

なにをしゃべっても「すみません」が交じってしまい、すべてのしぐさがおどおどしている。

「マイク、持ってきましょうか?」

「は?」

いし」

「待ってるだけだと退屈かな、って。あと、歌ってると、緊張もほぐれるかもしれな

「あ、いえ、あの、すみません、けっこうです、すみません、コーヒーいただきます、すみません」

あたふたとコーヒーカップを口に運び、熱いコーヒーをいきなり啜《すす》って、「うわっちちっ！」とコーヒーをズボンにこぼす。

レイコさんは紙ナプキンがテーブルにあるのを確かめて、黙って部屋を出ていった。

三年間の予備校生活で、なにをやらせても冴《さ》えない浪人生はうんざりするほど見てきたが、その中に入れてもベスト級だった。

だからこそ、わからない。こういうタイプのひとが、どうして東京から追いかけてきたのだろう。そして、それ以前に、イネちゃんはどうしてこういうひとを夫として選んだのだろう。

小一時間たって、やっとイネちゃんと電話がつながった。

「あいつ来ちゃったの？　マジ？」

「どうする？　いま、部屋で待っててもらってるけど……すぐ来られるの？」

「悪いけどさー、それ、アウト、無理」

「って、どういうこと？」

「わたし、いま沖縄なんだよねー。ほら、梅雨ってマジうっとうしいじゃん、お日さまの光が恋しくって」

絶句。

「明日《あした》の夜には帰るけど、てきとーに理由つけて、あいつ追っ払っちゃってくんない？」

唖然《あぜん》。

「で、あいつが梅郷にいるかぎり、わたし沖縄から帰んないから。ってゆーか、麗央も沖縄気に入ってるし、もう、このまま沖縄に住んじゃおうかな、なーんて」

呆然《ぼうぜん》。

「あいつさー、ほんっと、だめな奴でしょ。見ててわかるでしょ。なんかもう、イライラしちゃうんだよね。レイコも早く追っ払わないと、ストレスでお肌に悪いよ。じゃね、おみやげサーターアンダギーでいいよね？」

通話、終了。

電話の内容はマスオさんにも達爺にも打ち明けられなかった。

そのまま、さらに三十分過ぎてしまった。

お店はしだいににぎわってきた。お客さんはいつものように、降りつづく雨に暇を持て余したおばさんやお年寄りばかりだった。

田舎のひとは、皆さん、声が大きい。都会のアパートやマンションで隣近所に気兼ねしながら暮らしているのとはわけが違う。キミ婆など、七十歳を過ぎたいまでも、その気になれば川の向こう岸の田んぼまで声が届くんだと自慢している。

当然、歌う声もおしゃべりの声も大きい。店に入ってきて受付に車のキーを預けるだけでも大騒ぎで、歌いだすと安手の防音扉を突き破るようにエコーの利いた歌声がフロアに響き渡る。営業中の店に来るのは初めての達爺はそのパワーに気おされて、自分でも半分無意識なのだろう、座った椅子をロビーの隅へ隅へと少しずつ動かしていた。

そんな達爺をこれ以上店にいさせるのは、さすがに申し訳なかった。

「ねえ、おじいちゃん、もう帰っていいんじゃない？」

「おう……まあ、それでも、なにがあるかわからんけん」

「ないの」

「うん？」

「イネちゃん、来ないんだよ、ここには」

事情を話すと、達爺は眉間《みけん》の皺《しわ》を深くして、「どげんするんな」と言った。「ずっと待ちぼうけ食らわすわけにはいかんじゃろ」

「うん、それはそうなんだけどさあ……」

玄関のドアベルが鳴った。

入ってきたのは、珠代さん率いる〈梅郷うたごえクラブ〉の面々だった。

「あらぁ、どうしたん、お義父《とう》さん。カラオケやりに来たんですか？」

メンバーの中には、イネちゃんの母親もいた。やっかいなときに、いちばんやっかいなひとが姿を見せたわけだ。

「なあ、レイちゃん、3号室空いとる？」

マスオさんがぽつんと座っているはずの、定員四人の部屋だ。

「でも、お母さんたち五人でしょ？」

「一人が歌えばソファーに座るんは四人やろ？　五人部屋使うと高うつくけんね」

経営陣がそういうことを言うから、この店は儲《もう》からないのだ。

「3号室、お客さん入ってるから」

「いつまで？　もしすぐに空くんなら、ここでお茶でも飲んどるけど。何時まで予約しとるん？　そのひと」

「時間は、ちょっと……」

「訊《き》いとらんかったん？　なにしとるん、あんた。それじゃ電話の予約も受けれんでしょうが。いまから訊いておいで」

「……わかった」

しかたなくカウンターの中から出たレイコさんを目で制して、達爺《じい》が立ち上がった。

「わしが訊いてくるけん」

「あら、お義父さん、ええんですよ、レイコに行かせれば」と珠代さんがあわてて引き留めても、かまわず3号室に向かう。

怪訝《けげん》そうな珠代さんから目をそらしたレイコさんは、今度はイネちゃんの母親と目が合ってしまった。黙っていると逆にプレッシャーに押しつぶされそうなので、とりあえず、あたりさわりのないところを。

「イネちゃん、いま沖縄なんですね」

一瞬、時間が止まった。

イネちゃんの母親は口をぽかんと開け、それを見たレイコさんは目を真ん丸にして、二人同時に――「え？」。

イネちゃんは沖縄になんか、いない。

昼前まで家でぐーすか寝ていて、ついさっき起きたところだという。

4

達爺がマスオさんを連れて3号室から出てきた。「部屋、空いたけん」と珠代さんに声をかけ、レイコさんに「せっかく来てくれたんじゃけえ、このひとに梅郷を案内しちゃるわ」と言って、マスオさんをかばうように足早になってエントランスへ向かう。

「おじいちゃん、ちょっと待ってよ」

追いかけようとしたら、珠代さんに「レイちゃん、いまのひと、誰？　達爺の知り合いなん？」と行く手をふさがれてしまった。

なんとか適当にごまかして外に出たときには、もう達爺の軽トラックはなかった。

だが、マスオさんのレンタカーは、まだ駐車場に停まっている。ドライブのあとでここに戻って来るつもりなのだ。

レイコさんは店の中にとって返し、受付の棚からマスオさんの車のキーを取って、「お母さん、悪いけど、あとよろしく！」と、また店の外に飛び出した。

「もしもし？　イネちゃん？」

「あ、レイコ、どうなった？　あいつ帰ってくれた？」

「それよりさあ、イネちゃん、いまから出てきてくれないかなあ。家の前まで来てるんだけど」

「……だ、か、ら、わたしは沖縄だっつーの、さっき言ったじゃん」

「家にあがってもいいんだよ」

今度は、イネちゃんが絶句した。

「いまね、あのひとのレンタカー、勝手に借りてるんだ。で、助手席にね、アルバムがあったの。ほら、写真を現像に出すとサービスでくれる安いアルバム。悪いけど、見せてもらって……で、それをイネちゃんにも見せたくて……」

電話で話しながら、膝《ひざ》に載せたアルバムをめくった。家族のアルバム。イネちゃんと麗央くんしか写っていない。そういう写真だけを選んで持ってきたのだろう。

「とにかく出てきなよ」

イネちゃんは絶句したままだった。

「あのひと、いま、おじいちゃんと一緒にいるんだ。おじいちゃんは、イネちゃんの家の住所、たぶん教えないと思う。だから安心していいんだけど……でも、イネちゃん、逃げたままってのは、やっぱり、ずるいよ……」

返事はなかった。代わりに、本人が、ふくれつらで玄関から出てきた。

「なにこれ、リッターカーじゃん。レンタカーでいちばん安いやつでしょ。ほんと、あいつ、なにやってもビンボーくさいんだから」

電話の声と一緒に、あたりまえだけど、イネちゃんの口も動く。

「キャデラックで迎えに来るぐらいの甲斐性《かいしょう》があれば、こっちだって、ちょっとは考えるんだけどさあ」

笑った顔を傘で隠して、イネちゃんは車に向かって歩きだした。

マスオさんのほんとうの名前は、浩一郎《こういちろう》だった。「わかる？　要するに、長男ってこと」とイネちゃんは助手席でアルバムをめくりながら言って、「大事に大事に育てられた箱入り息子が、暴走族あがりの箱乗り娘にひっかかった、ってわけ」と笑った。

マスオさんは親の猛反対を押し切ってイネちゃんと暮らすために、家を出た。けれど、家を捨てたわけではなかった。

「パソコンの『ゴミ箱』ってあるじゃん、それと同じ。ファイルを捨ててはいるんだけど、ハードディスクの中には残ってるでしょ。ハンパな奴なんだ、あいつ、なにやらせても」

アルバムを一ページめくる。東京ディズニーランドで撮った写真だった。ベビーカーに乗った麗央くんと、いまよりも長い髪をしたイネちゃんが、おそろいのミッキーマウスの帽子をかぶって笑っている。服装からすると、季節は春なのだろう。

「あいつの田舎、群馬のスイカ農家なの。でも、スイカって重いし、実がなるのも地べたじゃん。年寄りにはけっこうキツいんだよね。向こうのお父さんは腰も膝もガタが来てて、お母さんも椎間板《ついかんばん》ヘルニアの持病があって、長男としては知らん顔もできないよなあって思ってるところに、とどめの一発、お父さんが脳梗塞《のうこうそく》で倒れちゃって……」

それが去年の夏のことだった。

「ちょうど、この頃だよ」とイネちゃんが指差した写真には、プールサイドのデッキチェアに寝そべったイネちゃんと、隣のテーブルでかき氷を食べる麗央くんがいる。

アルバムは、さらに次のページへ。季節は冬に飛んだ。クリスマスケーキを前に、イネちゃんと麗央くんが二人でVサインをつくっていた。

「この頃かな、あいつが田舎に帰りたいって言いだしたのは。でも、わたしは全然そんな気はなかったし、向こうのお母さんだって、わたしみたいな嫁が来たら嫌だと思うし」

アルバムの最後の写真は、レイコさんも覚えている、今年の二月、東京に珍しく雪が積もった日に撮ったものだった。泥でうっすらと汚れた小さな雪だるまを真ん中にして、イネちゃんと麗央くんが笑っていた。

「もう、その頃はあきらめてた。わたしもあのひとも、ほんとうは疲れてたのよ。あのひとは性格が弱いから、どこの会社でも長続きしなかったし、わたしだって水商売であと何年やっていけるかわかんないし……東京で暮らすってことに、もう、だいぶ前から疲れてたんだと思う。田舎に帰る口実が欲しくて、たまたま、あのひとが先にまっとうな口実を見つけたってだけのことで……うん、それだけのことだったんだよね」

マスオさんの呼び方が、いつのまにか「あいつ」から「あのひと」に変わっていた。まだ多少なりとも夫婦としての思いが残っているということなのか、それとも逆にマスオさんとの距離を嚙《か》みしめるためにそう呼んだのか、レイコさんにはわからなかったけれど。

イネちゃんはアルバムを閉じた。

「離婚を決めたのは、寝言だったんだよね」

「寝言？」

「そう。あのひとさ、寝言で『お母さん……』って言ったの。すっごい子どもっぽい言い方で、なんか、すっごい嬉《うれ》しそうに言うわけよ。それ聞いたとき、群馬に帰らせてあげようって思ったの。で、わたしも、もう梅郷に帰っちゃおうかな、って」

そして、もう一言——。

「どうせヒンシュクを買うんだったら、知らない町で悪口言われるより、ふるさとのほうがいいじゃん」

ふふっ、と笑う。レイコさんのほうを見て、「いいこと教えてあげよっか」とつづけ、人差し指を口の前で立てた。

「田んぼのカエルの声、よーく聞いてて」

聞こえた。いつもと変わらない、ごくあたりまえの、ケロケロ、ケロケロ。

だが、イネちゃんは「この雨、もうすぐあがるんだよ」と言った。

「そうなの？」

「うん。雨の日にカエルがこういう鳴き方をするときは、いまはどんなに天気が悪くても、明日《あした》は晴れなんだって。おじいちゃんが教えてくれたの。よーく聞いたらわかるから」

カエルが仲間を呼んでいるように聞こえるかどうかがポイントだという。

「雨が降ってると地面に出ても水がたっぷりあるから、田んぼから外に出て遊びに行くわけよ、お調子者のカエルは。でも、ちゃーんとわかってるヤツは、田んぼに残ってるわけ。で、お調子者の仲間に、教えてあげるの。おーい、そろそろ帰ってこいよぉ、雨が上がると干からびちゃうぞぉ、おまえのふるさとはここの田んぼなんだぞぉ……カエル、帰れ、カエル、帰れ、カエルカエレカエルカエレ……って感じで聞こえない？　おじいちゃんは、そんなふうに鳴くカエルのこと、フルサトガエルって呼んでた」

カエルカエレカエルカエレ……言われてみれば、なんとなく、そう聞こえなくもない。

「わたしも浩一郎くんも、フルサトガエルの声を聞いちゃったんだろうね。群馬のカエルと梅郷のカエル、二匹いっぺんに鳴くんだもん、方角まるっきり違うんだもん、しょーがないじゃん……」

イネちゃんはつぶやくように言って、アルバムをダッシュボードの上に置いた。

「行こうか、レイコ」

「え？」

「車が駐車場から消えてたら、浩一郎くんだって困るでしょ。彼、ほんとに気が弱くて臆病《おくびょう》なんだから、ショックで心臓麻痺《まひ》起こしちゃうかもしれない」

「……イネちゃん、会うの？」

「だって、あんたのおじいちゃんにまで迷惑かけちゃったんだから、わたしがシカトしてるわけにもいかないでしょ」

「話し合いするの？」

「カラオケボックスは歌う場所！　いいから早く車出しなよ」

怒った声で言ったイネちゃんは、車が動きだすと首をよじって助手席の窓のほうを向いた。あとはもうなにも言わず、顔を前にも戻さず、ただじっと窓の外で流れるふるさとの景色を見つめていた。

達爺《じい》がぼそぼそと教えてくれた。

案内するほどの見どころなどない梅郷の町を、あてもなく軽トラックでドライブしながら、達爺がマスオさんに声をかけたのは三回だけ。

最初は、「稲穂ちゃんも麗央くんも元気で暮らしよりますけん」。

次に、「いまは二人とも沖縄に遊びに行っとる、いうことですわ」。

最後に、「まあ、二人が幸せなら、それがいちばん違いますか？」

どの言葉にも、マスオさんは消え入りそうな声で「はい……すみません」と応《こた》えただけだった。

「すまんのう、もうちぃと気の利いたことを言えりゃよかったんじゃが」と達爺は申し訳なさそうに言った。

レイコさんは「そんなことないって」と苦笑交じりにかぶりを振る。「ありがとう、おじいちゃん」

達爺とレイコさんは、どちらからともなく、3号室のドアに目をやった。中には、イネちゃんとマスオさんがいる。すでに三十分近くこもったままだ。

イネちゃんは「カラオケボックスは歌う場所なんだから」と妙にこだわって、マイクを二本持って個室に入った。だが、もちろん、部屋から歌声は漏れてこない。ドアには小窓が開いているが、さすがに覗《のぞ》き見するのはためらわれた。

「おじいちゃん……どう思う？　イネちゃん、あのひととヨリを戻すのかなあ」

達爺は少し間をおいて、「お互いに幸せになれるほうを選ぶじゃろうの、あの子は」と言った。

「だから、それ、どっちだと思う？　ヨリを戻したほうが幸せになれる？　いまのままのほうがいいと思う？」

「……それは二人が決めることじゃ」

そんなの答えになってないじゃん、とレイコさんがため息をついたとき、3号室から音楽が聞こえてきた。イントロが終わると、エコーをたっぷり利かせたイネちゃんの歌声が伴奏に重なった。

千昌夫《せんまさお》の懐メロ『北国の春』だった。

レイコさんと達爺は顔を見合わせた。

イネちゃんは歌う。あのふるさとに、帰ろかな、帰ろうかな……。どんな思いを込めているのだろう、伴奏に歌声を微妙に遅らせて、せつせつと歌う。

歌の途中で、ドアが開いた。マスオさんが一人で出てきた。目に涙を浮かべて、レイコさんと達爺にぺこりと頭を下げた。

「帰ります……車のキー、出してもらえますか」

イネちゃんの歌はつづく。

達爺にうながされて、レイコさんはレンタカーのキーを渡し、さらに達爺にうながされて、店の外までマスオさんを追いかけた。

来たときと同じように傘なしで車まで駆け戻ろうとしたマスオさんを呼び止めて、誰かの忘れ物だったビニール傘を差し出した。

「すみません……ほんと、お世話になりました、すみません……」

傘を受け取ったマスオさんは、レイコさんが「帰っちゃうんですか？」と訊《き》くと、寂しそうに、それでもなにかをふっきったように、こっくりとうなずいた。

「いい町ですね、ここは。おじいさんに案内してもらって、よかった。彼女はここで生まれたんだなあ、って……来てよかったです、ほんとに」

レイコさん、思わず「また遊びに来てください」と言った。我ながら間抜けで、よく考えたら残酷な言葉だったが、マスオさんは目を瞬《しばたた》きながら、「ありがとうございます」と笑った。

店に戻ると、イネちゃんの歌はまだつづいていた。二曲目は『別れても好きな人』——どこまで本気で、どこまで面白がっているのか、わからないところが、イネちゃんの美点でもあり、欠点でもあって……でも、やっぱり欠点か、とレイコさんは苦笑する。

ドアが開く。イネちゃんはマイクを持って歌いながら、「たまにはバーッと歌おーよ！」とレイコさんを手招きして、頰に涙の痕《あと》が残るケロッとした笑顔になった。

第四話　タカツグの恋

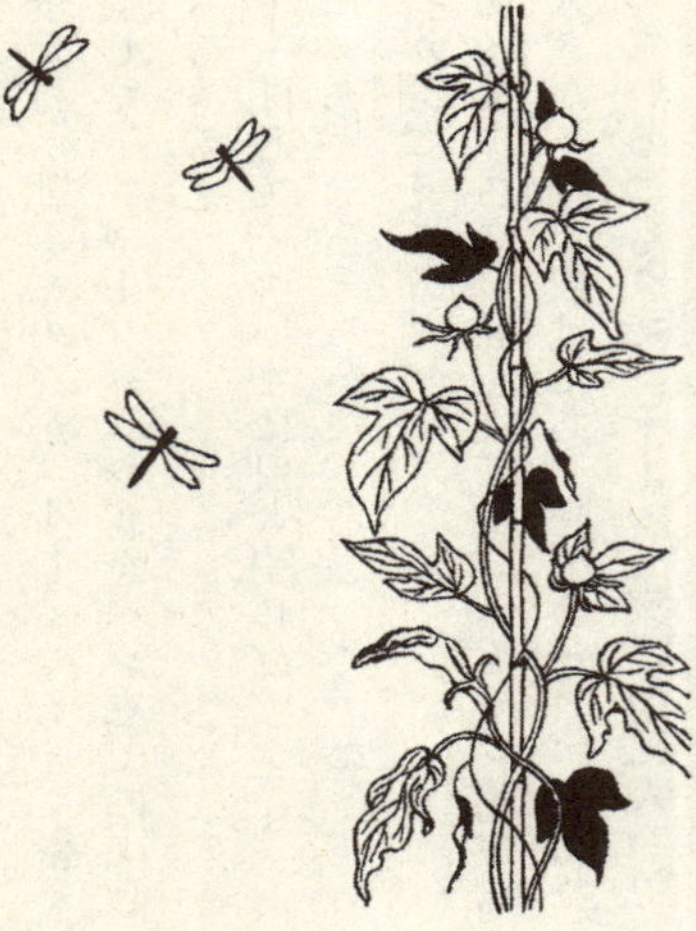

1

蟬が鳴く。

早起きしすぎたニイニイゼミの声が一筋だけ、朝もやのなか、少しくぐもって響く。

レイコさんは机のスタンドの明かりを消した。シャープペンシルをペン立てに戻し、椅子の背に体の重みを預けて、大きなあくびをひとつ。

辞書を閉じた。問題集を閉じた。ノートも閉じて、ついでに目も閉じた。

うとうとしていたら、蟬の声が途切れた。あ、そろそろかな、と思っていたら、あんのじょう、外の通りから原付バイクの音が聞こえてきた。

バイクは家の前で停まる。エンジンを切って、スタンドを立てて、ヘルメットを脱いだのだろう、レイコさんよりももっと大きな、間の抜けたあくびをひとつ。玄関のドアの鍵を開ける。自分なりに気をつかっているつもりで、そーっと家の中に入ってくる。靴を脱ぐ。足音を忍ばせて階段を上る。目をつぶっていても動作の一つ一つをくっきりと思い描ける。それがなんとなく悔しい。

階段を上りきった足音は、廊下を進む。レイコさんの部屋の前を通り過ぎて、隣の部屋へ——と思ったら、ドアが小さくノックされた。

「お姉ちゃん、起きとる？」

レイコさんはあわてて目を開けて、椅子に座り直した。ノートを開き、問題集を開き、辞書を開いて、シャープペンシルを手に持って、「はい、なに？」と面倒くさそうな声で応《こた》える。

ドアが開いた。派手なアロハシャツにハーフパンツ姿のタカツグが、ソフトケースに入れたギターを背負ったまま、部屋に入ってきた。

「勉強しとったん？」

「あたりまえでしょ、もう、いま、すごく集中してたのに」

「いびきが外まで聞こえとったけど」

「……なに言ってんの」

タカツグはヘヘッと笑って、ギターを肩から下ろした。

「あー、腹減った。なんか食うものない？」

「あるわけないでしょ」

徹夜の最大の敵は、満腹による眠気なのだ。

「ガムとか飴《あめ》とかでもええんじゃけど」

「ないってば、なにも」

口の中にものが入っているときに問題を解くのに夢中になると、つい、よだれがノートに垂れてしまうのだ。

「なんかない？　なんでもええけん。腹が減って死にそうなんよ」

「じゃ、死ねば？」

「……腹が減りすぎて、よう死ねん」

「だったら生きてなさいよ」

ふだんにも増して、そっけない言い方になった。いつもはタカツグのぼーっとしたところにイライラしどおしのレイコさんだが、生意気に朝帰りなどすると、それはそれで腹立たしい。

「あんたさあ、夏休みだからって遊びすぎてない？」

問題集の英文をにらみつけたまま言うと、タカツグは「遊びと違うよ」と不服そうに返して、ベッドの縁に腰かけた。「練習なんじゃけん、しかたなかろ？」

「遊びは遊びでしょ」

嫌いなのだ、遊びほうけることが。

将来のことなどなにも考えず、その場のノリだけで楽しんで、それでいて不思議と壁にぶつかることもなく、すい、すい、すーい、と……そういうのが大嫌いなのだ、とにかく。

こっちは将来の人生設計を必死に立てて、目の前の楽な道に逃げ込んでしまわないよう自分を奮い立たせて、それでいてなぜか壁にばかりぶつかって、ガツン、ガツン、ガツーン、と……そんな繰り返しなのに。

「バンドもだいぶカッコついてきたけん。秋にはビシッとキメられる思うわ」

タカツグはケースに入ったままのギターをかまえ、指を軽く動かした。

夏休み前にバンドを組んだ。メンバーは五人。タカツグ以外は、全員、二年生。高校三年生の夏休みに暇を持て余しているのは、受験勉強とも就職活動とも無縁なタカツグぐらいのものなのだ。

来週——七月の終わりには、自動車の運転免許を取りに合宿制の教習所に行くことになっている。費用はもちろん親が出す。鶴山市にも教習所はあるのに、「集中してビシーッとやりたいけん」と言うタカツグの言葉を、隆造さんは鵜《う》呑《の》みにした。「合宿するんじゃったら、もう、どこでも同じことじゃろ?」とタカツグは珠代さんも丸め込んで、沖縄の教習所にさっさと申し込んでしまった。ついでに、免許を取ったあかつきにはキミ婆と珠代さんに車を買ってもらう約束まで取り付けているらしい。

甘い。甘すぎる。この家の連中は、揃いも揃って……。

「邪魔だから出てってよ」

レイコさんはうっとうしさ百パーセントの声で言った。

「……今度の模試、いつあるん」

「再来週。いいから自分の部屋に行ってよ、ほんと、邪魔だから」

「山陽大はずっとA判定なんじゃけん、もう模試やら受けんでもええんと違うん?」

「それは法学部でしょ、医学部のほうはBなんだから」

法学部と医学部――まるっきり正反対の学部を天秤《てんびん》にかける無意味さは、レイコさん自身がいちばんよく知っている。第三志望にまだ東大文Ⅲを選ぶむなしさも、そして、去年まではB判定とC判定を行ったり来たりだった東大文Ⅲが、今年はDから上にはどうしてもいかないみじめさも。

「ほら、早く出てってよ」

しっ、しっ、と手で追い払った。

タカツグは大きなあくび交じりの伸びをして、「お姉ちゃん、いつまで起きとるん?」と訊いてきた。

「七時過ぎかな」

「で、何時に起きるん」

「店番があるから、十一時ぐらい」

「そげん無理せんでもええのに。体壊しても知らんで」

「よけいなお世話」

肩をすくめてドアに向かいかけたタカツグは、壁に貼ったカレンダーに目を留めた。

七月と八月で一枚になったカレンダーだ。赤い丸印がついているのが全国模試の日で、七月には丸印が三つ、八月には二つ。

「お姉ちゃんって、模試受けるのが趣味みたいじゃなあ……」

ぽつりと、つぶやくように言って、そのまま部屋を出ていった。

レイコさんはタカツグが閉めたあとのドアをじっとにらみつけた。強いまなざしを放ったつもりでも、徹夜明けでしょぼついた目は、一点を長くは見つめられない。うつむいて、横を向いて、あーあ、と天井を仰いだすえに、最後は自分自身をにらみつけるはめになってしまった。

『ウッド・フィールズ』は、八月に入ってから盛況がつづいている。なにしろ、二十人入れる最も広い5号室が毎日予約で埋まっているのだから、たいしたものだ。

といっても、5号室に通い詰める団体さんは、まっとうな客ではない。

「空気に部屋を貸しても、どうせ一銭も入らんのじゃけんね、ちょっとは料金のほうも勉強してもらわんといけんよ」と言い張る身内。

もっと具体的に言うなら、「ええんよ、ええんよ、そげんレイコが料金のこと言うんなら、お母ちゃんの給料から差し引いてくれても。それでええやろ？　お母ちゃんがタダ働きすればええことなんじゃけん」と、もともと給料なんて貰《もら》っていないくせに勝手に自分を被害者にしてしまう、珠代さんである。

今日もまた、5号室には、そんな珠代さん率いる〈梅郷うたごえクラブ〉の面々が集まっている。受付カウンターのレイコさんの耳にも、部屋の音楽が漏れ聞こえてくる。毎日毎日毎日毎日、何度も何度も何度も何度も、同じ曲——『梅郷ふるさと音頭』ばかり。八月の盆踊り大会で一糸乱れぬ踊りを披露すべく、〈梅郷うたごえクラブ〉は毎日練習に励んでいるのだった。

〈……梅の花咲く、ひとの花咲く、ふるさとよ、ヨイショ！　梅郷ぉ〜、豊かな明日へ、結ぶひとの和、踊りの輪、それヨイヨイ、踊りの輪〜ぁ……〉

覚えたくもないのに、耳にこびりついて離れない。ふと気を抜くと、レイコさんまで思わず口ずさみそうになってしまう。

たいして歴史のある曲ではない。バブルの勢いに乗って「ふるさと創生」といった言葉が流行《はや》っていた二十数年前、昭和と平成の狭間あたりにつくられた。

作詞、作曲、振り付け、いずれも無名。

歌っているのは、荒川あやめという女性歌手。これがデビュー曲だった。レコーディングした二十数年前には〈演歌の新星〉と紹介されていたが、結局そのまま流れ星になって消えてしまった。

ついでに歌のほうも、キミ婆たちシルバー世代から「テンポが速すぎて、よう踊れん」とブーイングが出て、盆踊り大会のメインは従来どおり『鶴山節』に戻ってしまった。

「『鶴山節』は、鶴山の歌じゃろうに、よその町の歌で踊ってどないするんよ。ほんまに、この町は年寄りに甘いんじゃけん……」

珠代さんはいまでもぶつくさ言いどおしなのだが、とにかくそういうわけで、『梅郷ふるさと音頭』は幻の一曲になっていたのだ。このままなら、もはや踊りの振り付けも受け継がれることなく、忘れ去られてしまう運命だったのだ。

ところが、先週になって、カラオケ機器の営業マンを通じて思いがけないニュースが入ってきた。

昭和の頃にデビューして、鳴かず飛ばずのまま消えていった歌手が、数名一組で『同窓会リサイタル』と銘打ったツアーを組んで全国の温泉旅館や健康ランドを回っている。そのツアーに参加した荒川あやめが、ぜひ梅郷に寄って歌いたい、と言っているらしい。

『同窓会リサイタル』は、八月の終わりに、県庁のある山陽市のヘルスセンターで開かれる。

「あやめさんの出番は『昼の部』じゃけん、夕方には梅郷まで来て『ふるさと音頭』を歌いたい、いうんよ。なんか、いままでレコードを出した歌の中でもいちばん好きじゃったらしいんよ」

珠代さんは「まあ、ほかのレコードは聴いたことないんじゃけど」と、ちょっと冷ややかに笑って、「それでも」とつづけたのだ。

「せっかく来てくれるんじゃけん、こっちが踊りをろくすっぽできんかったら、かわいそうじゃろ？　がんばって練習せんと」

そういうところは妙に律儀な性格なのだ、珠代さんというひとは。

リハーサルとして、盆踊り大会に『梅郷ふるさと音頭』のコーナーも無理やりつくってもらい、婦人会でポスターもつくった。

〈幻の歌姫・荒川あやめ、思い出の地・梅郷に凱旋《がいせん》！〉

本人が見たら、イヤミだと思って怒りだすかもしれない。

沖縄に出かけたタカツグからは、合宿三日目に「こっちは元気じゃけん」と電話が一本あったきりだった。

同じ頃、七月の半ばに受けた全国模試の結果が返ってきた。

第一志望・山陽大学法学部——A判定。

第二志望・山陽大学医学部——B判定。

第三志望・東大文Ⅲ——D判定。

伸びない。ほんとうに、どうしようもないほど、成績が伸びない。

でも、医学部はB判定でも上のほうなんだから……と自分を慰めてみても、すぐに別の自分が「あんた、医者になりたかったわけ?」と根本的な問いを放つ。

四浪目を許してもらう条件として、模試の結果は逐一、隆造さんと珠代さんに報告することになっている。

珠代さんは「もう、これで東大はあきらめがついたじゃろ?」と、D判定の結果に、むしろホッとしたように言った。

隆造さんも「法学部に決めりゃよかろうが。そしたら、いまみたいに必死に徹夜して勉強せんでも受かるわい」と言う。

だが、法学部には、鶴山高校の同級生が何人も通っている。高校時代にはレイコさんより成績の悪かった連中ばかりだ。キャンパスで顔を合わせるのが嫌だった。なにより、現役で受験していれば楽々合格していたはずの大学にいまさら入るのは、プライドが許さない。

「山陽大に行くんだったら、医学部にしちゃうよ。医学部だと、東大に行くよりお金かかるよ。それでもいい?」

嫌な言い方だと、自分でも思う。言い方以前に、そういう発想が、われながら嫌だ。

珠代さんは「まあ、医者になったら元は取れる思うけどなあ」と言った。「自分が稼げんでも、稼げる婿さんを見つけりゃええんじゃけん」

するとS、隆造さんは思いっきり不機嫌な顔になって、「金の話はどげんでもええんじゃ」と珠代さんをにらんだ。

「そげなこと言うて、あんた、無い袖《そで》は振れんじゃろ。いまは田んぼ一枚売っても手間賃にもならんで」

「ええけん、おまえは黙っとれ」

隆造さんはしかめつらのまま、レイコさんに向き直った。

「レイコのほんまにやりたいことは、なんな。医者になりたいんか？　法律の勉強したいんか？　どっちなんか」

本音を言えば、どっちでもない。いちばんやりたいのは……本音の本音を言えば、まだわからない。昔からそうだった。東大合格という目標はあった。けれど、東大に行く目的がない。それを探すために、とりあえず東大に受からなきゃ、と思っていた。ずっとそう思ったまま三年以上が過ぎて、いまはもう「とりあえず」すら手の届かないところにいってしまった。

黙り込むレイコさんから目をそらして、隆造さんは言った。

「いまは、山陽の法学部を出ても、就職はろくなところがありゃせんど」

「……うん」

「ウチの社長がのう、レイコさえよかったら、どこか鶴山で就職先を見つけてやってもええ、言うてくれとる」

うげっ、と声が出そうになった。

鶴山市で働いたら、もっと、もっと、もっと高校時代の同級生に会ってしまう。

「さすがレイちゃんよねえ」とみんなからうらやましがられるような勤め先があるのならまだしも……下手をすれば、高卒で就職した同級生と同僚になりかねない。

「ちょっと待ってよ、わたし、就職なんかしないよ。大学に行くよ、絶対に」

あわてて言うと、隆造さんは再びレイコさんを見つめ、「なにしに行くんか」と強い口調で訊いた。

「だから……勉強に決まってるじゃん」

「なんの勉強をしたいんか」

「……だから……だから……」

また言葉に詰まってしまったレイコさんを、隆造さんはそれ以上は問いただささなかった。

「よう考えとけ」

言い捨てて、立ち上がる。

「あんた、どこに行くん？」と珠代さんが訊いた。

「おう、ちょっとの、『ギンレイ会館』が最近よう出るいうけん……はじいてくるわ」

パチンコである。身を滅ぼすほど夢中になっているわけではない。だが、仕事が早じまいした夜の暇つぶしは、パチンコぐらいしかない。隆造さんだけではなく、梅郷に暮らす男たちは、たいがいそうだ。

レイコさんはうつむいていた顔を上げて、隆造さんを呼び止めた。

「わたし、やりたい勉強はわかんないけど、ひとつだけ、やりたいことがあるの」

「……どげなことな」

「梅郷から出たいの。こんな田舎で一生終わりたくないの。だって、ここに住んでても、なーんにもないんだもん。パチンコしかやることないって、お父さん、むなしくない？」

キツいことを言った。叱られるのは覚悟していた。

珠代さんは横から、やめなさい、と目配せしたが、隆造さんは怒らなかった。

代わりに、一言だけ言った。

「……わしは、ここで生まれたんじゃけん」

隆造さんがパチンコに出かけたあとは、珠代さんも台所にたって、居間にはレイコさん一人残された。

タカツグのことを、ふと思った。あんたも長男だもんね、とつぶやくと、ぼーっとしたタカツグのことが、少しかわいそうになった。

そのタカツグは、盆休みの前に、真っ黒に日焼けして沖縄から帰ってきた。

卒業検定まですんなり合格して、あとは県の試験場で学科試験を受けるだけ。

だが、タカツグは、そんなことはどうでもいいんだ、というふうに勢い込んで言った。

「俺、やっぱり大学に行く！　山陽大学に行くけん！」

2

「マジじゃけんね、俺」

タカツグはきっぱりと、胸を張って言う。幼い頃から固い物をあまり食べなかったせいか、顎《あご》が細くていかにも頼りない骨格の顔を、せいいっぱい力ませて、「ほんま、マジなんじゃけん」と念を押す。

「じゃけん」が語尾に付くと一気に緊張感が薄くなってしまうのだが、それでも、家族にはわかる、タカツグは本気だ。本気で、『ウッド・フィールズ』店長の座を捨て、ふるさとを捨て、ぼーっとした毎日を捨てようとしている。

なにしろ沖縄から帰ってきたその日のうちに、受験勉強開始なのだ。

「お姉ちゃん、使うとらん参考書やら問題集があったら、ぜんぶ俺にくれん？」

「好きなの持っていけば？」

押し入れの段ボール箱を指差した。自慢ではないが、いままで受験参考書や問題集に注ぎ込んだお金はハンパではない。年季が違う。

タカツグは「こげんあるん？」と一瞬たじろいだが、気を取り直して段ボール箱の蓋《ふた》を開けながら、お勧めの受験本を訊《き》いてきた。

「お勧めって……レベルが違うと、使う本も違うから……とりあえず『基礎』って書いてあるのだけ選べば？」

「なんか俺のことバカにしとらん？」

「だってバカでしょ、あんた」

「うっせえ」

ふだんならここから口喧嘩《くちげんか》がしばらく繰り広げられるところだが、タカツグは「お、いけんいけん、時間を無駄にしてしもうた」とあわてて本選びに取りかかった。

階下は、今夜は静かだ。耳の少し遠くなったキミ婆のためにいつもボリュームを上げているテレビの音も、さっきからまったく聞こえない。達爺《じい》と隆造さんが風呂《ふろ》に入る気配はしたが、キミ婆と珠代さんは茶の間にこもったきりだった。

タカツグの決意表明に、二人して大いにショックを受けているのだろう。

無理もない。まさに青天の霹靂《へきれき》だった。跡取り息子のタカツグを梅郷に残すべく、店まで建ててやった努力が、すべて水泡に帰してしまったのだ。

「ねえ」タカツグに声をかけた。「あんた、なんで急に大学受ける気になったの？」

「さっき晩飯のときに言うたじゃろ、やっぱり、これからの時代は大学ぐらい出とらんといけんよ、グローバルなんじゃけん」

「はい、質問」

「え？」

「グローバルの意味って、なに？」

「……そういう意味を勉強したいけん、大学に行くんよ」

ムスッとした様子で返し、ちょうどケータイが鳴ったのをいいことに、「あ、どーもです、はい、いや、だいじょうぶですよ、全然平気っすよ、いま」と立ち上がり、そのまま部屋を出ていった。

五分待っても、戻って来ない。十分待っても、だめ。二十分待っても、やはり、だめだった。

長電話だなあ……と思って、そっと廊下に出てタカツグの部屋の様子をうかがったら、小さないびきが聞こえてきた。電話を終えたら、沖縄から帰ってきた長旅の疲れが急に出てきて、そのまま眠ってしまったのだろう。三歩進めば物を忘れる、ニワトリみたいな奴だ。

レイコさんはため息交じりに自分の部屋に戻り、タカツグが散らかしっぱなしにしていった受験本の山を見つめた。段ボール箱にしまい込んで封印していた過去四年間の受験勉強の紆余曲折《うよきょくせつ》が、本の山から目に見えない霧のようにたちのぼる。

実際、よくやってきたなあ、と思う。買った順に並べ替えれば、切り株の年輪のように、そのときどきの心理を読み取れるだろう。模試の調子が良くて「難関」「難問」「応用」と銘打った問題集を買い揃えた時期もあれば、スランプに陥って「基礎」「基本」「一から」のラインナップに走った時期もある。成績が急に伸びたひとの使っているシリーズを聞き出して乗り換えてみたり、解けない問題がつづくと「相性が悪いんだ」と途中で使うのをやめてみたり、本番前には毎年、各社から出ている「予想問題集」を端から買っていき、結局一度も当たった例《ため》しはなく……。

受験って、そういうものなんだよ、とタカツグに言ってやりたかった。あんた、その厳しさに耐えられるの？　とも。

どんなにいまが本気でも、それをつづけなきゃ意味がないんだよ――まあ、べつに四年もつづける必要はないんだけどね、と寂しげに苦笑して、それでもタカツグのために「基礎」「基本」「一から」系を選びだしてやった。

「簡単じゃん」

『ウッド・フィールズ』のカウンターに頬づえをついたイネちゃんは、考える間もなく、あっさりと言った。

「オンナだよ、オンナ。高校生が人生の進路で急カーブしちゃうなんて、オンナがらみ以外にありえないじゃん」

「タカツグが?」

思わず笑うと、「甘いよ」とぴしゃりと言われた。「甘いっていうか、鈍いよ、あんた」

イネちゃんに言わせると、タカツグはなかなかのレベルなのだという。特に年上のオンナごころをくすぐるタイプらしい。

「身内って、やっぱりだめだよね。思いっきり過大評価しちゃうか思いっきり過小評価しちゃうかのどっちかなんだもん。特に、ほら、レイコは丸三年も東京にいたわけじゃん。中三から高二までのタカツグをほとんど見てないわけじゃん。伸び盛りを見てないからピンと来ないかもしれないけど、中国のことわざにもあるじゃん、『男子三日会わざれば刮目《かつもく》して見よ』って」

思いがけず、難しい言葉が出た。高校中退の家出少女の語彙《ごい》ではない。

「すごいね、イネちゃん」

「お店のお客さん、中小企業の社長さんが多かったからね。名言とか、ことわざとか、そういうの大好きなのよ、オジサンたち」

客とのおしゃべりを盛り上げるために、『ことわざ辞典』や『故事成語集』や『戦国武将名言録』などで勉強したのだという。

「学校にいた頃は国語なんて大嫌いだったけど、お店でトップ取るんだっていう目的があると、がんばれちゃうんだよね」

「……うん」

「だから、タカツグもわかんないよ。いまはバカでも、オンナのために必死になったら、ぐんぐん成績伸びちゃうかもよ」

「……うん」

相槌《あいづち》が沈んでいくレイコさんの胸の内を読み取ったように、イネちゃんは「レイコもさあ、東大生の彼氏とかいれば受かってたんじゃない？」と笑う。

相槌と一緒に、まなざしも沈んだ。

「あんたが落ち込んでどーすんのよ、タカツグのことでしょ？　とにかくさ、オンナがらみってことは間違いなくて……出会いは沖縄だね、うん、同じ合宿に山陽大のコもいて、遠い沖縄で同郷の二人が出会って、仲良くなって……ってことはだ、うん、免許の学科試験を一緒に受ける可能性もあるよね」

イネちゃんは一人で推理を進め、一人で「そうだよね、うんうん、そうそう」と納得して、「よし、わかった」とうなずいて、「しょうがないなあ、レイコ、学科試験の日はわたしも一緒に尾行してあげるよ」——一人でミッションを引き受けた。


三日後、タカツグは朝五時過ぎに原付バイクで家を出た。山陽市のはずれにある運転免許試験場に朝九時に着くには、二時間に一本のローカル線の始発に乗らなければならないのだ。

タカツグのバイクを二階から見送ると、入れ替わるように、イネちゃんが文字通りわが物顔で乗り回している、工務店のヒデの愛車、車高を下げたスカイラインGTが国道に姿を見せた。

こんなことやってる場合じゃないんだけどなあ……と、この期に及んでまだ迷いを消せないまま、レイコさんは足音を忍ばせて階段を降りる。

ゆうべ、タカツグは自分の部屋で長電話をしていた。こんなことやってる場合じゃないんだけどなあ……と思いつつ、廊下でそっと聞き耳をたてると、話題は明日《あした》の試験の話だった。電話の相手と待ち合わせて、一緒に試験場まで行くらしい。

こんなことやってる場合じゃないんだけどなあ……と漏れそうになるため息をこら

えてイネちゃんに電話をして、こんなことやってる場合じゃないんだけどなあ……と自己嫌悪に陥りながら、山陽市の予備校で受験講演会があるから、と珠代さんに『ウッド・フィールズ』の店番を代わってもらった。

朝もやのなか、国道まで出て、イネちゃんのスカGに乗り込んだ。

「レイコ、とりあえず梅郷駅まで行ってみようか。タカツグがほんとに汽車に乗るかどうか確かめなきゃいけないし、服装もチェックしたいし」

「着てる服はだいたいわかるけど……」

「っていうか、フェロモン？　フェロモンがどれくらい出てるか見ておきたいわけよ、うん、心のおねーさんとしては」

「……誰がおねーさんなのよ」

「いや、でも、マジにね、タカツグはいいよ、イケてると思う。わたしのストライクゾーンにばっちり入ってるから」

イネちゃんは車を発進させて、「来年には、わたし、レイコの義理の妹になってたりして」と笑った。

レイコさんは返事をするのも面倒になって、黙って窓の外を見つめる。

マスオさんの話は、イネちゃんはなにも言わないし、レイコさんも口にしない。再婚、就職、麗央くんの将来……その手の話題になるたびに笑ってはぐらかされるんだ、とイネちゃんの母親はしょっちゅう珠代さんに愚痴っている。

甘やかすと、とことん甘える。少しキツく問いただすと「じゃあ、また家出しちゃおうかなーっ」と脅す。

「あそこはだめなんよ、お父ちゃんもお母ちゃんもイネちゃんが家に帰ってきてくれたのがうれしゅうてしょうがないんじゃけん、どげんイネちゃんがわがままなこと言うても強う出られんのよ」と、珠代さんはあきれ顔で笑っていたのだ。

梅郷駅の近くで車を停め、そこからは線路沿いの道をそーっと進んだ。

もう二十年も前に無人駅になった梅郷駅は、何軒かあった店もとうにつぶれ、高校生が通学する朝夕を除くと、ひと気はほとんどない。列車も、かつては大阪始発の急行も走っていたのに、いまはどれも一両のワンマンカーだ。廃線になっていないだけでもましだと思うしかない。

「あ、ヒマワリ咲いてる」

イネちゃんが言った。ホームの花壇に、老人会の植えたヒマワリが群れ咲いている。キミ婆たちが丹精しているだけあって、とてもきれいなヒマワリだが……それを見てくれるひとは、数えるほどしかいない。

タカツグは、ホームにいた。ベンチに置いた鏡の前にしゃがみ込んで、髪を整えている。斜めのアングルの顔を鏡に映したり、アロハシャツの襟を立てたり寝かせたりして、しまいには眉《まゆ》の手入れまで始めた。

「決まりだね、もう絶対にオンナで決まり」

イネちゃんは満足そうに言った。

運転免許試験場は、山陽市の市街地から数キロ離れた海沿いにある。

小さな島がいくつも浮かぶ瀬戸内海でも、四方を山に囲まれた梅郷の風景に慣れた目には解放感にあふれている。合格発表のおこなわれているホールは、夏休みということもあって、若者がほとんどだった。やっぱり海はいいなあ、とレイコさんは思う。若いひとの声が響きわたるのっていいよね、とも。そして、ひるがえって山に囲まれ、年寄りに囲まれた梅郷の暮らしを思い浮かべると、ため息が漏れる。

タカツグの進路変更がイネちゃんの言うとおり「オンナがらみ」だったとしても、そうではなかったとしても、一度ふるさとを出る決意を固めたら、もう、どんなに事情が変わってもふるさとに戻る気にはならないかもしれない。キミ婆や珠代さんは、「どうせタカツグは勉強が嫌いなんじゃけん、すぐに飽きる」とタカをくっているが、それはいくらなんでも甘すぎるような……。

「あ、タカツグいたよ、ほら、あそこ」

イネちゃんが肘《ひじ》をついてきた。人込みに紛れて、イネちゃんが指差すほうを覗《のぞ》き込んだ。

いた。しかも——女の子と二人連れ。

まじめな女子大生ふうの女の子だった。顔はそこそこ可愛くて、服装はレイコさん好みの地味系で……イネちゃんは拍子抜けして「なーんだ、もっとケバいのかと思ってたのに」とぼやいたが、レイコさんに言わせれば合格である。あのひとなら仲良くなれそうだ、と思う。なによりタカツグが、あんなにデレデレして、幸せそうで、ちょっとおとなびて見えるなんて、姉としては、やはりうれしい。

カノジョと連れ立って合格発表の電光掲示板に向かうタカツグの背中に、思わずエールを贈った。

がんばれ、タカツグ！　あんたの大学受験、お姉ちゃんは絶対に応援するからね！

万が一タカツグが大学で都会生活に目覚めてしまったら、跡取りのプレッシャーは一気にレイコさんの肩にかかってくるのだが、それはいまは考えないことにした。

タカツグとカノジョは二人とも試験に合格していた。運転免許証の交付を受け、バスで市街地まで帰って、喫茶店でお茶を飲み、地下街を歩いて……レイコさんとイネちゃんが尾行しているのに気づかないまま、山陽駅の改札まで来た。

「なにしてんのよ、タカツグ、まだ夕方じゃない。ここで別れてどーすんの。ほんと、もう、見てらんないよぉ」

　コインロッカーの陰に身をひそめたイネちゃんは、もどかしそうに言った。レイコさんが止めなければダッシュで二人の前に割って入りそうなほどだった。

「こーゆーところが田舎者の押しの弱さなのかなあ……ったく、もう、ここまで来たんだから、ホテルとは言わないけど、免許を取った祝杯の一杯や二杯……」

　確かに、二人の様子は「恋人」と呼ぶにはほど遠かった。高校三年生と女子大生のデートにも見えない。なんというか、いちばんぴったりくるのは「ジャンケンで負けて文化祭の買い出しに出かけた中学二年生の男女」という組み合わせなのだ。

「沖縄で知り合ったばかりだもん、まだそこまで親しくなってないのかもね」

　レイコさんはかばうように言ったが、イネちゃんの返事はなかった。自動券売機で切符を買うタカツグと、改札の前で待つカノジョを、値踏みをするようにじっと見つめていた。

「ちょっと……」

　視線をカノジョの背中に向けたままつぶやき、「いや、でも、そんなことないかな」と首をかしげる。

「どうしたの？」

「うん……これ、全然根拠はなくて、ただの勘なんだけど……あのコ、けっこうしたたか、かもよ」

「はあ？」

「虫も殺さないような顔をしてオトコを手玉に取るコって、けっこういたんだよ、わたしのまわりに」

まさかぁ、とレイコさんは笑った。

考えすぎかなあ、とイネちゃんも苦笑して、それ以上はなにも言わなかった。


帰りの列車に乗り込むタカツグと改札で別れたあと、カノジョはすぐさま携帯電話を取り出して、どこかにメールを送った。

駅の構内をしばらく人待ち顔でぶらぶらしていたら、携帯電話が鳴った。電話を受けながら、駅を出た。ちょうど駅前ロータリーに車が入ってきたところだった。カノジョは、その車に——というか、運転している若い男に手を振った。

車が停まる。カノジョははずんだ足取りで助手席にまわり、ドアを開けて、笑顔でなにか話しながら乗り込んだ。

レイコさんとイネちゃんは呆然《ぼうぜん》としたまま、走り去る車を見送った。

3

タカツグは猛勉強をつづける。

キミ婆と珠代さんに車を買ってもらう約束も忘れてしまったみたいに、ひたすら勉強に励んでいる。

カノジョとはちょくちょく携帯電話でメールをやり取りしているようだし、夜中に長電話をしていることもある。

レイコさんは、言えない。

言いたいけれど、なにも言えない。

「こういうのはね、横から口出しするようなものじゃないの」

イネちゃんにも釘《くぎ》を刺されていた。「かわいそうだけど、自分ですべてを知って、自分で傷ついて、自分で立ち直っていかなくちゃだめなの。それがオトナになるってことなの」――こういう話になるとほんとうに説得力があるのだ、イネちゃんは。

夏祭りの日も、タカツグは自分の部屋にこもって勉強をしていた。

レイコさんも同じ。お祭りに浮かれている場合ではない。

お盆明けに、全国模試が山陽市の予備校でおこなわれる。レイコさんは当然早いうちに申し込んでいたが、締切ぎりぎりになってタカツグも「俺、受けてみる」と言いだしたのだ。

四つ年下の弟と同じ模試を受けるだけでも屈辱なのに、志望校が同じ山陽大では、もう、プライドはずたずたになってしまう。初心に返って、志望校は東大一本に絞った。ここで一気に好成績を挙げて、来年春に梅郷を出る地固めをしておきたい。

「いいんじゃない？」とイネちゃんは笑う。「来年の春からはレイコもタカツグも大学生で、お店はわたしが引き受けるからさ」

書き入れ時の夏祭りの夜も、イネちゃんが臨時店長を務めてくれた。

このままイネちゃんが『ウッド・フィールズ』を引き継いでくれればいいのに……。勉強の合間にふと思って、でも、それじゃあキミ婆もお母さんもかわいそうだよね、と思い直した。いまなら、まだ間に合うかもしれない。タカツグにすべてを教えてやれば、大学受験への熱もいっぺんに冷めて、再び『ウッド・フィールズ』の店長として、ふるさとに根を下ろした人生を歩もうとするかもしれない。

だが、言えない。どうしても、言えない。

レイコさん、深々とため息をついて、部屋の窓を開けた。

町の夜景はない。代わりに、満天の星が光っていた。

裏山の蟬時雨《しぐれ》はピークを過ぎて、庭のアサガオもほとんど花をつけなくなった。田んぼの稲の緑に少しずつ黄色が交じりはじめ、ふと気づくと夕方に飛ぶトンボがギンヤンマから赤トンボに変わっていた。

夏がもうすぐ終わる。

だが、タカツグの猛勉強は、あいかわらずつづいている。ということは、つまり、カノジョとの仲も——。

旧盆の頃までは「まあ、ハシカみたいなもんじゃろ。あの子は飽きっぽい子じゃけん」「これをええ機会に努力する癖をつけてくれれば、お店の経営者としても回り道とは違うけんね」とタカをくっていたキミ婆と珠代さんも、九月が近づいても徹夜つづきのタカツグの姿に、さすがにあわてはじめた。

「ちょっとタカツグ、あんた、自分のことしか考えよらんけど、お店はどげんするん。お母ちゃん、あんたが店長になる言うたけん、お店を建ててあげたんよ。それをあんた、いまさらワガママ言いだして。相手が他人《ひと》さまじゃったら、詐欺やペテンになるんよ、わかっとるん？」

珠代さんがそんなふうに正論で責め立てる一方、キミ婆は泣き落としで説得にかかる。

「タカちゃん、タカちゃん、あんたぁ、ばあちゃんを捨てていくんか、のう、あんたぁ、こまい頃から『ばあちゃん、ばあちゃん』言うて、ばあちゃんのそばから離れんかったが。こげん年寄りになってから、ばあちゃんを捨てるんか？　のう、タカちゃん、ばあちゃんは悲しゅうて悲しゅうて、ああ、膝《ひざ》が痛い痛い痛い痛いのう、体が思うように動かんようになってから孫に見捨てられるいうて、つらいつらいつらいつらいのう、長生きしても詮《せん》ないのう、あーあっ、膝が痛い痛い痛い痛い、孫のために働き詰めじゃった膝が痛い痛い痛い痛い……」

ちっとも通用しなかった。

タカツグは、珠代さんには一言「わかった、そしたらもう家出するけん、勘当にしてくれればええよ」と返し、キミ婆には黙って湿布薬を渡した。

レイコさんにも、火の粉はふりかかる。

「レイちゃん、もう、こうなったらあんただけが頼りじゃけんね。ちゃんとウチの跡継ぎになれるような婿養子をとりんさい！」

珠代さんは問答無用の顔と声で言った。

八月最後の日曜日、タカツグはレイコさんとともに山陽市へ向かう朝の一番列車に乗り込んだ。

初めての全国模試である。ひと夏の猛勉強の成果が問われるだけでなく、山陽大の合格圏内に入っているかどうか、ひいてはカノジョと付き合っていけるかどうかが、この試験の結果で見えてくる。

さすがに緊張を隠せないタカツグは、梅郷駅のホームでも、急に子どもの頃に返ってしまったみたいに爪を嚙《か》みどおしだった。

「あっち行ってくれえや。席、なんぼでも空いとるやろ」

レイコさんが同じボックス席に座ると、思いっきりうっとうしそうな顔をする。

それでも、レイコさんはタカツグの向かい側の席から動かなかった。

「試験の前夜は十分な睡眠を」のセオリーに逆らって徹夜明けの赤い目をしたタカツグを見ていると、むしょうにせつなくなる。

ねえ、タカツグ、あんたの好きなカノジョ、ほんとはね……。

喉元《のどもと》まで出ている。もっとシンプルな「あんた、だまされてるんだよ!」の一言も、いつでも飛び出せるようスタンバイしている。ついでに、「あんたがウチを継いでくれないと、わたしが困るんだから」というワガママな本音も。

言ってやったほうがいい。それがタカツグのためだし、わが家のためだし、わたしのためでもある。頭ではわかっていても、「ねえ、タカツグ」と口を開く、そのぎりぎりのところでブレーキがかかってしまう。

イネちゃんは「自分ですべてを知るしかないよ」と言っていた。「どうせ、レイコがなに言ったって、聞く耳持たないってば」とも。

それに、とイネちゃんにしては珍しく真剣な顔でつづけたのだ。

「失恋でも、だまされてたことに気づくのでも、タカツグが自分一人で背負って、自分の力で立ち直らなきゃだめだよ。そうしないと、あの子、いつまでたっても甘ちゃんのタカツグのままだもん。あの子が一歩おとなになるチャンスなんだから、よけいな口出しはしないほうがいいって」

参考書に読みふけるタカツグは、ふと思いだしたように、目を上げずにレイコさんに言った。

「お姉ちゃん、帰りは、俺、別行動じゃけんね」

「……どこか寄るの？」

「うん、まあ、ちょっと……べつに誰かと会うたりするわけじゃないけど」

言わずもがなの一言を付け加えてしまうところが、要するに、「甘ちゃん」の所以《ゆえん》なのだろう。

「ええね、別行動じゃけんね」とタカツグは念を押した。

レイコさんは少し間をおいて「わかった」とうなずいた。

山陽駅から模試会場に向かうバスが信号待ちで停まると、タカツグが「なあ、あそ

こ……」と窓の外に顎《あご》をしゃくった。

郊外のヘルスセンターのポスターが貼ってあった。〈いま蘇える、青春の歌声！〉の煽《あお》り文句の下で、厚化粧のおばさんたちが笑っている。『同窓会リサイタル』の広告だ。

「後ろの列の端っこじゃろ、荒川あやめって」

「うん、たぶん、そうだと思う」

「顔、でかいのう」

「演歌のひとって、みんなそうだよ」

ヘルスセンターの公演は、今日。日帰りで温泉に浸《つ》かりに来たお客さんの昼食時間に合わせて大広間で歌う——要するに、ドサ回り。しかも、荒川あやめはそのあと梅郷に向かう。ドサ回りの途中のドサ回り、というわけだ。

「なんで梅郷まで来るんかなあ、わざわざ」

「思い出の場所だからでしょ」

「でも、なんか、かえって寂しゅうならんのかなあ……」

レイコさんも同感だった。

珠代さん率いる〈梅郷うたごえクラブ〉はすっかり張り切って、最初は『ウッド・フィールズ』で新曲のキャンペーンをやるだけだという話だったのに、町民文化センターのホールを借り切って、売り上げを社会福祉協議会に寄付するチャリティーコンサートに仕立て上げた。ただし、大ホールではなく中ホール――先週の日曜日の催し物は、脳卒中を予防する健康講習会だった。「大ホールを借りてガラガラじゃったら、あやめちゃんに悪いけんねえ」と珠代さんは言っていたが、前売り券の売れ具合からすると、どうも、中ホールでさえ満員にするのは難しそうな雲行きらしい。

「母ちゃんらは、どうせアレじゃろ、自分らが『ふるさと音頭』を踊りたいけん、ステージのある文化センターにしたんじゃろ」

「うん、たぶんね」

「本音では、自分らのほうが主役じゃ思うとるん違うか？」

これまた、同感――。

「売れん歌手は、つらいのう……」

レイコさんはうなずいて、ポスターの中の荒川あやめの笑顔をあらためて見つめた。

〝第二の都はるみ〟〝平成の美空ひばり〟になれず、限りなくリサイクルに近い『同窓会リサイタル』でさえ「その他大勢」の扱いで、それでも歌をやめない荒川あやめの姿が、一瞬、自分自身に重なってしまった。

その荒川あやめに、帰りの列車の中で会ってしまうのだから、人生はわからない。

実際、わが目を疑った。朝ポスターを見ていなければ気づかないほどの地味な顔立ちのおばさんだったが、ボックス席にぽつんと座っているのは、確かに……。

思わず、「荒川あやめさんですか？」と訊《き》いた。すると、おばさんはぱあっと顔をほころばせて、「はいっ」と答えた。いくつになっても、どんなに売れなくても――いや、歳をとって、ちっとも売れていないからこそ、声をかけられるのがうれしくてたまらないのだろう。

本人だとわかればそれでよかったのに、荒川あやめは「どうぞどうぞ、こっちに座ってくださいな」と向かい側の席にレイコさんを座らせ、ミカンだのゆで卵だのお菓子だのを大きなバッグから次々に出して、勧めた。レイコさんが梅郷の人間だと知るとサービスはさらに増して、網棚に載せた別のバッグから取り出したCDを「これ、特別に差し上げます」と渡す。「ほんとは六百五十円で売らせてもらってるんですよ」

公演のあとで、新曲のCDを即売しているのだという。だから、つまり、網棚のバッグの中身はすべてCD――六百五十円という半端な数字が、なんともいじましい。

声をかけられたのがよほどうれしかったのか、人恋しさがよほどつのっていたのか、一時間余りの道すがら、荒川あやめは一人でしゃべりどおしだった。

ところが、車窓の風景がひなびていくにつれて、話もどんどん重くなる。最初のうちは新曲のPRにつとめていたはずなのに、いつのまにか話題は地方営業の苦労話になり、田んぼの稲が夕陽に照らされる頃には、目に涙を浮かべた愚痴になった。

ほんとうはマネジャーを引き連れて、タクシーで梅郷入りするはずだったのに、経費節減をたてに、たった一人で、ローカル線の鈍行列車に揺られて梅郷へ向かうことになった。ステージのあとのCD即売も、本人が売り子になるしかない。「産地直売よねえ」と無理して笑うと、目はさらに赤く潤んでしまう。

それでも梅郷で歌いたかった、と荒川あやめは言った。

『梅郷ふるさと音頭』は、わたしの原点だからね。デビュー曲っていうのは、歌手にとっての生まれ故郷だから。いつか里帰りしたいって、ずーっと思ってた。ほんとうは、ふるさとに錦《にしき》を飾るのが一番よかったんだけど……逆に、なにをやってもうまくいかないときに帰りたくなるのがふるさとだとも思うし、それを黙って迎えてくれるのが、ふるさとかもしれないし……」

三月に帰郷したときのイネちゃんと自分自身の姿が浮かんだ。

「ふつうのひとも、お盆やお正月に田舎に帰るでしょう。わたし、それ、すごくいいことだと思うの。年に一度か二度、ふるさとに帰って、ふるさとの空気を吸って、それでまた都会に帰ってがんばれるのよね。うん、ふるさとは遠きにありて……どんなに遠くても、ふるさとがあるんだ、自分には帰る場所があるんだ、それがあるとがんばれるのよ……」

4

カラオケテープの伴奏に乗ってステージ中央に進み出た荒川あやめは、客席に向かって頭を深々と下げて、「ただいまぁ！」とエコーの利いた声で言った。

列車の中での話を思いだしたレイコさんは、胸がじんとなって大きな拍手を返した。

だが、その拍手がきわだってしまうほど、客の入りは悪かった。六割……いや、五割そこそこ。前売り券をさばく追い込みの時期に、肝心の〈梅郷うたごえクラブ〉の面々が、チケットよりも踊りやコーラスの練習のほうに夢中になってしまったのが痛かった。

「……だからって、わたしと麗央までひっぱりだすことないじゃん。こーゆー人数合わせって、田舎の選挙と同じだよ」

隣の席で、イネちゃんはぶつぶつ言いどおしだった。

「いいじゃない、せっかくの里帰りなんだから、みんなで盛り上げれば。ほら、手拍子、手拍子」

「里帰り、ってさあ……」

「梅郷はあやめさんのふるさとなんだよ」

ねえ、そうですよね、とステージの荒川あやめを見つめた。派手な着物姿に厚化粧。コンサートホールのような照明効果がないので、キンキラリンに飾り立てていればいるほど、かえってみすぼらしく見えてしまう。

それでも、とにかく、ここは歌手・荒川あやめのふるさとなのだ。

「どんな気分なんだろうね、ちーっとも売れないのに歌手をつづけてるのって」

お義理の手拍子を打ちながら、イネちゃんが言った。

「歌が好きだから、やっていけるんだよ」

レイコさんが応えると、「あー、甘い甘い、ゲキ甘っ」と笑われた。

「結局、やめるタイミング逃しちゃって、ずるずるつづけてるだけなんじゃないの？ほら、どこかの誰かさんが東大目指すのをやめられないみたいに」

「……うるさいなあ」

「あ、出てきたよ、レイコんちのおばさん」

曲が間奏に入ると、揃いの浴衣《ゆかた》姿の〈梅郷うたごえクラブ〉の面々がステージ袖《そで》から踊りながら登場した。顔見知りを迎える客席の拍手は、荒川あやめ登場のときよりずっと大きい。

だが、荒川あやめはその寂しさや悔しさを押し隠すように、ひときわ高く声を張り上げて、にこやかに言った。

「さーあ、皆さん、ご一緒に！」

レイコさんも手拍子を必死に打った。がんばって、と荒川あやめに心の中で声をかけた。がんばれ、がんばれ、がんばれ……ついでに、わたしも……。

家に帰ると、キミ婆があわてて玄関まで出てきた。レイコさんを見て、口をあわあわと動かしたが、顔がひきつって声が出ない。

「どうしたの？　タカツグ、まだ帰ってないの？」

「おおごとじゃ、おおごとなんじゃ！」

「え？」

山陽市の警察から、ついさっき電話がかかってきた。泥酔して暴れていたタカツグを保護している、という。すぐに引き取りに来い、という連絡だった。

だが、達爺《じい》も隆造さんも晩酌で酔っているので、車は運転できない。珠代さんは、夜行バスで東京に帰る荒川あやめを鶴山まで送っていったあと、〈梅郷うたごえクラブ〉の面々と『ウッド・フィールズ』で打ち上げの宴会をすることになっている。

「いま、隆造が熱い風呂《ふろ》に入って酔いを醒《さ》ましとるんじゃけど……」とキミ婆は言ったが、こういうときにぴったりのドライバーが一人いる。こういうときにしか役に立たないドライバーでもある。

すぐに携帯電話を出して、連絡を取った。

「イネちゃん、すぐに来て！　山陽まで、車、ぶっとばして！」

　イネちゃんの運転するシャコタンのスカイラインは、地響きのようなエンジン音を立てながら、曲がりくねった国道を目一杯のスピードで走っていく。

　助手席のレイコさんも、リアシートの隆造さんも、じっと押し黙っていた。イネちゃんも気をつかって、なにもしゃべらない。

　沈黙のなか、レイコさんは混乱した頭を懸命に整理した。

　全国模試の出来が悪かったから、という程度で高校生が泥酔などしないはずだ。

　やはり、これは……模試のあとのデートでカノジョにふられたか、カノジョに本命の相手がいることを知ってしまったか……。

　不思議と、ホッとした気分になった。暴れたといっても、なにかを壊したわけではないし、誰かと喧嘩《けんか》をして、ケガをしたりさせたりというのでもない、という。

　これで、あの子もちょっとオトナになるのかな……。

　うれしいような、寂しいような。元のさやに収まってくれれば、跡継ぎ問題もとりあえず解決だな、という本音も、ちょっと、あった。

タカツグと隆造さんが揃って別室に呼ばれ、警察のひとにお説教されている間、イネちゃんもレイコさんと同じことを言って、「これでよかったんだよ」とうなずいた。

「男のフトコロの深さは、ふられた回数に比例するんだから、タカツグもいい男になるよ」

「じゃあ、女は?」

「ふった回数に決まってるじゃん。あんたのひとを見る目の浅さや甘さの理由、そこなんだよ」

イネちゃんが「でしょ?」と笑ったとき、タカツグたちが戻ってきた。タカツグはまだ酔いが残っているようで、足元がふらついている。

隆造さんは、そんなタカツグを支えもせず、声もかけずに、すたすたと外に向かう。

「おじさん、怒っとるん?」とイネちゃんが小声でレイコさんに訊《き》いた。

「……やっぱり、警察沙汰《ざた》になったから、なのかなあ」

「世間体が悪い、って? なんか、それって、がっくりくるけどね」

レイコさんもそう思う。これじゃキミ婆や珠代さんと同じじゃないか、とも。

だが、隆造さんの怒りの理由は、そんなことではなかった。

駐車場に停めたイネちゃんの車に乗り込むときになって、やっと、わかった。

うつむいたまま後ろのドアを開けたタカツグに、隆造さんは言った。

「もういっぺん訊くど。おまえ、ほんまに受験やめるんか」

　怒気をはらんだ、おっかない声だった。

　タカツグはか細い声で「うん……」と答えた。「もうええよ、俺、『ウッド・フィールズ』継ぐけん……」

　次の瞬間――バチーッ！　と大きな音が響いた。隆造さんが思いっきりビンタを張ったのだ。

　タカツグは地面に倒れ込み、レイコさんは思わず「お父さん、なにするのよ！」と叫んだ。だが、隆造さんはなにも応《こた》えず、一人で車に乗り込んでしまった。タカツグも、抱え起こそうとするレイコさんの手を払って、ふらつきながら立ち上がる。

　余裕を持っているのは、イネちゃんだけだった。含み笑いで肩をすくめ、音をたてずに拍手をして、「わたし、おじさんのビンタ、正しいと思う」と言った。「タカツグ、あんたもそう思わない？」

　タカツグは黙って、小さくうなずいた。

　帰りの車の中で、イネちゃんは「あ、そうそう、こーゆー音楽とか、聴く？」とカーステレオにCDをセットした。

「なんなの？」

「荒川あやめのＣＤ。ほら、文化センターで売ってたじゃん」

「買ったの？」

「まあね……せっかく梅郷まで来てくれたんだし」ちょっと照れたように笑う。「オリジナルの曲はどうってことないド演歌なんだけど、カバーの曲がいいのよ」

まあ、それは曲の力なんだけどね、テッパンの名曲だから、といたずらっぽく笑う。

流れてくるイントロのメロディーで、レイコさんにもわかった。唱歌の『故郷《ふるさと》』――兎追いし、かの山……の、あれだ。

「演歌をあきらめて、童謡歌手にでもなるつもりかね、あのおばさん」

イントロまでは憎まれ口を叩《たた》いていたイネちゃんだが、歌が始まると黙って車の運転をつづけた。

レイコさんも、隆造さんも、タカツグも、なにも話さない。荒川あやめの歌声だけ、何度も何度も繰り返し、響き渡った。


山陽市の市街地を抜けたところで、隆造さんが「自動販売機があったら停めてくれんか」とイネちゃんに言った。「わしがおごっちゃるけん、缶コーヒー四本買うて来てくれ」

シャッターを下ろしたよろず屋の前で車を停めたイネちゃんは、隆造さんの気持ちを見抜いたように「じゃあ、レイコとタカツグ、買い出し部隊でよろしく」と言った。

レイコさんは外に出た。少し遅れてタカツグも。

夜空に満月が浮かんでいた。

自動販売機にコインを入れるのはレイコさんで、コーヒーを取り出すのはタカツグ。

姉弟《きょうだい》でなにか一つのことをするのは、意外とひさしぶりのような気がした。

「ねえ、タカツグ」

「……なに？」

「受験がんばりなよ。もっとがんばって勉強してさ、それでやっぱり地元に残るって決めてもいいし、大学受けてもいいんだし。家のことやお店のことは、考えなくていいよ。あんたが無理に継がなくても、なんとかなるって」

あ、いま、わたし、自分の人生に墓穴掘ってるかも、と思った。

でも、まあ、今夜はいいや、と笑った。

タカツグはなにも応えず、みんなのぶんのコーヒーを胸に抱いて車に戻る。

虫が鳴いていた。

コオロギだった。

今年初めて聞くコオロギの声は、コロコロ、コロコロ、と耳にやわらかく響いた。

第五話　エラジンさん

1

始まりは、県道脇に立った一枚の小さな看板だった。

〈絶対反対！〉

極太の筆か刷毛《はけ》で書いた、黒いペンキ文字――ペンキが筋を引いて垂れ落ちているところに、怒りというか、憤りというか、大げさに言えば怨念《おんねん》めいたものもたちのぼってくる。

「……って言われてもさあ、困るよね」

イネちゃんの言葉に、〈21世紀の鶴山を考える会〉の面々はビールを啜《すす》りながらうなずいた。特別ゲストの立場で飲み会に参加していたレイコさんも、だよね、と応じる。

「二枚セットになってるやつの片割れなんじゃないのか？」

『鶴山書房』の若社長、カッちゃんが身を乗り出して言った。

「わたしもそう思ったのよ、最初は」イネちゃんはすかさず返す。「でも、違うの、まわりを見てもなーんにもないの」

ね、そうだったよね、と話を振られたレイコさんは正面に座ったカッちゃんと目が合って、思わずうつむいて、「うん……」と細い声で言った。

隣のイネちゃんが、膝《ひざ》をそっと小突いてくる。しっかりしなよ、なにやってんのよ、と横目でにらむ。

そう言われても困るのだ、こっちだって。看板の話どころではないのだ、はっきり言って。

ウーロン茶を一口啜り、もう旬を過ぎた枝豆をつまんで、遠慮がちに顔を上げた。

カッちゃんの視線がこっちに向いていないのを確かめて、ほっとする。

カッちゃんがあんたに会いたがってるんだから――。

イネちゃんに言われた。最初は冗談だと思って相手にしなかったが、イネちゃんは「マジマジマジ、ほんと、飲み会のときもすぐに『森原さん、元気？』だもん」とつづけ、「嘘だと思うんなら、みんなに訊いてみればいいじゃん」と挑発気味に押し込んできて、とどめは「自分の目で確かめるのが一番早いんじゃない？」……。

乗ってしまって、いま、ここにいる。

そんないきさつはともかく、飲み会の話題は、梅郷に忽然《こつぜん》と現れた意味不明の看板のことに絞られていた。

「『絶対反対』って、その『反対』の理由がわからないのよ。だから、こっちも気味悪くって……」

看板を立てた主が、なにかに強硬に反対しているのは、わかる。だが、なにに反対しているのかが、さっぱりつかめない。喧嘩《けんか》相手などいないのに、雑踏の中で大声をあげて、ただひたすら怒っているおじさんを、レイコさんも東京で何度か見かけたことがある。人込みはいつも、そこだけぽっかりと穴が開いたようになって、誰もが目を合わせないようにしておじさんの脇を通り抜けていくのだった。

「先週の台風で、看板の片割れが飛んでったんと違うか？」

消防署勤めの上田さんの推理は、「でも、看板が立ったのは、おとといなんよ」とイネちゃんにあっさり却下された。

「ほんま、なんに反対しとるんじゃろうかのう……」と市役所の土木課の漆原《うるしばら》さんが首をかしげ、「梅郷にはべつにトラブルを起こしとる工事もなかろう」とつづけると、焼酎《しょうちゅう》のお湯割りをぐびぐび飲んでいた建具屋の島野《しまの》さんが、自嘲《じちょう》するように「鶴山にはなんぼでもあるけどの」と笑った。

実際、鶴山には、このところ〈21世紀の鶴山を考える会〉の面々を悩ませる話が相次いでいた。

三年前に第三セクターの形で開業した銀天街のショッピングセンターは赤字つづきで、テナントも次々に撤退している。

ダイオキシンの問題で今後は使えなくなるゴミ処分場に代わって早急に新処分場を

建設しなければならないのに、まだ用地すら決まっていない。

鶴山地域一帯にバスを走らせていた会社が、もはやこれ以上の赤字には耐えきれない、とほとんどの路線の廃止を決定した。市営バスに切り替えた場合の試算をしてみたら、百円の売り上げに対して経費は二千円を超えてしまった。

山間部では産業廃棄物処分業者の不法投棄が問題になっているし、市街地でも、つぶれたボウリング場の建物が廃墟《はいきょ》になったまま、取り壊しの目処《めど》も立っていない。

バブル景気の頃に造成した工業団地は全二十区画のうち三区画しか埋まらず、国道のバイパス沿いにできたフィリピン・パブでは、先月、暴力団組員同士の発砲事件があった。

再来年、鶴山城は開城四百周年を迎える。〈21世紀の鶴山を考える会〉では、それを小京都・鶴山復活の起爆剤にするつもりでいるが、その前に片づけなければならない問題があまりにも多すぎる。

メンバーの最年長、もうすぐ五十歳になる『鶴山電器』の伊東《いとう》さんが、ぽつりと言った。

「学校の社会の時間に、『過疎』いう言葉を習うたんじゃ。その頃は山奥の村の話じゃった。わしら皆、『田舎は大変じゃのう』思うて、同情しとったよ。他人事《ひとごと》じゃったよ。鶴山の人口は十二、三万あったし、国鉄の急行もぎょうさん走っとったし、祭りじゃあいうたら、ひとであふれ返っとったし……まさか鶴山がこげんなるとは思わんかった……ほんま、鶴山だけはだいじょうぶじゃ思うとったのにのう……」

話しているうちに、小さな目が赤く潤んできた。

「県が悪いんじゃ、東京やら大阪やらのほうばっかり気にして、鶴山にはちぃとも目を向けんのじゃけえ」と島野さんが吐き捨てた。

「バブルで浮かれたんがいけんのよ」と漆原さんも憮然《ぶぜん》として言った。

そうじゃそうじゃ、とうなずいた上田さんが「若い者も皆、外に出ていくけん」と言うと、カッちゃん、イネちゃん、レイコさんの三人は思わず肩をすくめた。

「鶴山に残っとる者は残っとる者で、親のスネをかじって遊び惚《ほう》けることしか考えとらんしのう……」

島野さんに据わった目でにらみつけられて、地元就職組の若手もいっせいにうなだれる。

そこから先は、三十代、四十代のメンバーの「昔の鶴山はよかった」の昔話と、「いまの鶴山は……」の愚痴の応酬になった。

梅郷の〈絶対反対!〉の看板の話はいつのまにかどこかに行ってしまったが、伊東さんや島野さんたちの話を聞いているうちに、主語も目的語もない唐突な〈絶対反対!〉が、レイコさんの胸にもじわじわとリアルに感じられてきた。

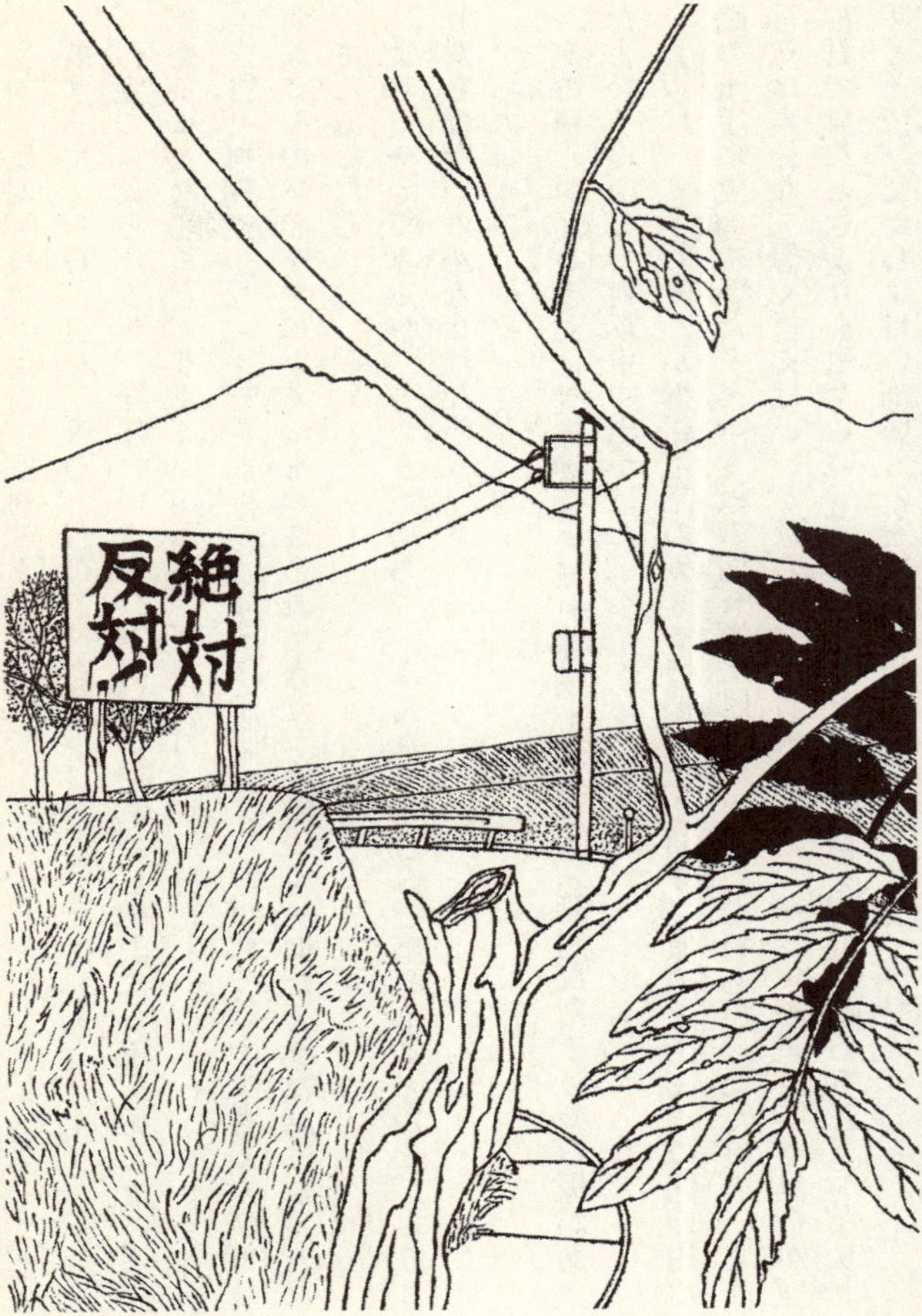
絶対
反対

反対、反対、反対、反対、反対……。

要するに、NO、NO、NO、NO、NO……。

否定の言葉というか、発想というか、空気が、梅郷にも鶴山にも重く澱《よど》んでいる。やることなすこと、うまくいかない。下り坂の、底が見えない。

「どうせ無理だから……」というつぶやきとともに、〈21世紀の鶴山を考える会〉の町おこしのアイデアはいくつもつぶされてきた。梅郷でも、似たような話はきっとたくさんあるだろう。

「よし、やってみるか」という気持ちで、みんながYESと応《こた》えることなど、もうこれからはないのかもしれない。


次の日、レイコさんは受験勉強の気分転換も兼ねて、〈絶対反対！〉の看板があったという場所まで自転車で出かけた。

看板は、イネちゃんが携帯電話のカメラで撮ったとおり、県道と田んぼの間の用水路の土手に立っていた。ベニヤ板の切れ端に脚の角材を釘《くぎ》で打ち付けただけの、よく言えば素朴な、悪く言えばいいかげんな立て看板だった。ペンキの垂れ落ち具合が、写真で見たときよりも生々しい。字も、あらためて実物を間近に眺めると、かなり下手くそで、だからよけい怖いものを感じさせる。

田んぼの持ち主は、岡光《おかみつ》さんというひとらしい。用水路の土手が岡光さんの家の土地になるのかどうかはわからないが、先おとといから今日まで看板を放っておいているのは、岡光さん公認ということなのだろうか……。

自転車を路肩に停め、用水路にかかる小さなコンクリート橋を渡って、あぜ道に足を踏み入れた。

九月半ばだ。町じゅうの田んぼが黄金色に染まっている。陽当たりのいい田んぼではスズメ除《よ》けの目玉風船が吊《つる》され、ときどき、空砲でスズメを追い払う音も山にこだまする。

今年は豊作の予想が出ているが、刈り入れ前に台風に襲われると、すべてが水の泡になってしまう。四国の南をかすめた先週の台風のときも、達爺《じい》と隆造さんが手分けして田んぼを見回っていた。今年は台風の当たり年らしく、早くも次の台風が沖縄に近づいているし、フィリピンあたりではさらに新しい台風が発生していた。

遅霜、空梅雨、冷夏、害虫、病気、そして台風……どんなに手をかけても、人間の力ではどうにもならない壁がいくつもある。それを乗り切って収穫しても、米づくりだけで生計を立てられる家は、ほとんどない。

なんだかなあ、とため息が漏れる。

携帯電話が鳴った。

イネちゃんからだった。

「ゆうべ、なんで一次会で帰っちゃったのよう」と、しわがれた声で言う。声を聞くだけで二日酔いの起きぬけだとわかる。

「カッちゃんと全然しゃべらなかったじゃない、なにやってんのよ。せっかくトイメンで座ってたのに」

「だって、べつに話題もなかったし……」

「東京の話すればいいじゃん」

冗談じゃない、と苦笑した。

イネちゃんもすぐに「まあ、ゆうべのノリで東京の話なんかしちゃったら、大変だったよねえ」と言って、「二次会、もう、サイテーだったんだから」とつづけた。

島野さんと伊東さんが荒れまくったらしい。二人ほどではなくても、残りの三十代、四十代のメンバーも、若手相手にしつこくクダをまいた。

「一次会の時点で『昔はよかった』モードに入っちゃったからねえ、もう、ああなったら止められないよね」

最後は、ほとんど「おまえら若手が鶴山をだめにした！」のお説教になってしまった。血の気の多い若手が売り言葉に買い言葉で言い返しかけるたびに、カッちゃんが止めたのだという。

最後の最後は、そのカッちゃんが集中砲火を浴びた。

東大にストレートで合格するほど頭がいいのに、鶴山を捨てて東大に行ってしまうのはけしからん——。

「なにそれ、理屈になってないじゃない」

「なってるのよ、おじさんたちの頭の中では。大学に行くような子が地元に残ってくれないと、ほんと、地元は中卒や高卒の子ばっかりになっちゃうでしょ」

「だって、大学がないんだもん、鶴山には」

「だったら最初から行くな、って」

「……めちゃくちゃ」

「ほんとうに頭のいい子は大学になんか行かなくたって、エラジンさんになれる、ってさ」

エラジン——漢字で書くなら「偉人」。この地方の古い方言で、「偉いひと」「りっぱなひと」の意味だ。

「学歴がないとエラジンになれんような者は、ほんまのエラジンと違うんじゃ、って……ひどい言い方するよねえ」

「うん、ひどいよ」

「でも、なんかさ、それ聞いたとき、レイコのこと一瞬思いだしちゃった」

返す言葉に詰まってしまった。

「だから、ほんと、ゆうべは二次会に来なくて正解だったよ」とつづけたイネちゃんの言葉にも、うまくうなずけなかった。

今度もう一回カッちゃんとセッティングするから、と言ってイネちゃんは電話を切った。

レイコさんは携帯電話をしまって、県道に引き返していった。とぼとぼとした足取りになった。あぜ道に咲いたヒガンバナの赤い色が、目に染みた。

2

〈絶対反対！〉の奇妙な看板のことは、すでに『ウッド・フィールズ』の常連客の間でも話題になっていた。

珠代さんの情報網をもってしても、なんの手がかりもつかめないのだという。

「岡光さんっていうひとと関係あるの？」

夕食時にレイコさんが訊《き》くと、「それはないと思うけどなあ」と首をひねる。

「なんで関係ないってわかるの？」

「岡光さんは、いまは梅郷にはおらんけん」

「だって、田んぼ……」

「ひとに貸しとるんよ。貸しとるいうか、お米を代わりに作ってもろうとるんよね、あそこは」

岡光さんの家は、去年の冬まではおばあさんが一人暮らしをしていた。三人いた子どもたちは皆、梅郷を出てそれぞれの家をかまえ、おばあさんが亡くなっても帰ってこなかった。

「家や土地を処分しようにも、このご時世じゃけん、買い手もつかんじゃろ。あそこの家は墓付きじゃし」

そうだよねえ、とレイコさんもうなずいた。

梅郷や鶴山の地域は、先祖代々のお墓を母屋《おもや》のすぐそばや同じ敷地内に建てている家が多い。そういう家では、土地を売ろうと思っても、もれなくお墓まで付いてきてしまうのだ。そんな土地をわざわざ買うひとなど、いない。

どうしても土地を処分したいひとは、いったん墓を寺に移して更地にして、その上にプレハブの納屋でも建てて、それから知らん顔して売りに出す。ところが、買い主が家を建てるために土を掘り返したら、移しきれなかった骨壺《こつつぼ》や骨が出てきて大騒ぎ……というケースもあるらしい。

「まあ、それで、子どもさんらが相談して、とりあえず、今年は田んぼはひとに任せようということになったんよ」

「家は？」

「お墓をお寺に移して、あとはもう、親戚《しんせき》にたまに風を入れてもろうとるらしいけど、ひとの住まん家は、すぐに荒れてしまうけん」

「だよね……」

梅郷にまた一軒、廃屋が生まれてしまう。森原家も、裏山に先祖代々のお墓がある。レイコさんもタカツグも家を出てしまったら、いずれは——。

キミ婆と達爺をちらりと見た。

のちのちのために墓を寺に移しておこうという考えなど、二人ともかけらも持っていないそうだ。キミ婆は「ご先祖さまがそばにおってくれるけん、みんな病気もせんで元気でおれるんじゃが」というのが口癖だし、達爺はあいかわらず無口で無表情で、田んぼや畑の仕事を淡々とこなし、晩酌を愉《たの》しめれば幸せ、というひとだ。森原家の改革に取り組むことは、まず、ないだろう。

せめて隆造さんと珠代さんの代で……と相談したくても、隆造さんは暇さえあればパチンコだし、珠代さんに話を持ちかけても「最初から処分することしか考えとらんじゃないの、あんたは！」と叱られてしまうのがオチだろう。

だから、考えたくない。難しい話はなるべく先送りにしておきたい。なんの解決にもならないことは、わかっていても。

「で、岡光さんは田んぼをひとに任せたわけだよね。そのひとが看板を立てたっていう可能性は？」

答えたのは、キミ婆だった。

「ないないない、岡光の家の田んぼはサブちゃんが見とるんじゃろ？　サブちゃんはそげないたずらするようなひとと違うけん」

「そうよなあ」と珠代さんも応《こた》え、レイコさんも「なんだ、サブちゃんなんだ、あそこの田んぼをやってるのって」と納得顔でうなずいた。

サブちゃんのことは、レイコさんも子どもの頃から知っている。

都会なら、「ぶらぶらしている」と言われてしまうひとだ。決まった勤めは持たず、梅郷の町のみんなから「ちょっと頼むわ」と声がかかったときだけ、仕事をする。田んぼの世話や畑仕事はもちろん、山の草刈り、門松作り、餅《もち》つき、あぜ道の補修、雪かき、スズメバチの駆除、庭木の剪定《せんてい》……ほんの手間賃程度の報酬で、なんでもやってくれる。大工仕事や電気工事も、簡単なものなら、ササッとこなしてしまう。力持ちで、手先が器用で、なにより「よっしゃ、任せときんさい」で引き受けてくれる気分の良さが、いい。困ったときには、まずは「サブちゃんに頼んでみよう」が町の合い言葉になっているほどなのだ。

「そうかぁ、サブちゃん、まだ元気で仕事してるんだ」

懐かしくなった。裏山の杉の木のてっぺんにひっかかったタコを取ってもらったことを、ふと思いだした。子どもにまで「サブちゃん」と呼ばれて、それを怒りもせず、いつもにこにこ笑って……珠代さんが「サブちゃんは漢字をあんまり書けんのやもん、あの看板は違うやろ」と笑いながら言う、そういうひとなのだ。

「ねえ、サブちゃんって、いまいくつ？　もう、けっこうな歳でしょ？」

「そうじゃなあ、もう六十過ぎとるじゃろ」

「結婚してたんだっけ」

「いやぁ、結局、独り身じゃったなあ。気分はええんじゃけど、中学にもろくすっぽ通うとらんかったし、まあ、独り身のほうが気楽でええんじゃろ、あのひとは」

軽い口調で答えかけたキミ婆は、「ありゃあ？」と、なにか思いだした顔になった。

「どうしたの？」

「おばあちゃんなあ、こないだサブちゃんに病院で会うたんよ、うん、鶴山の市民病院で……えらい痩《や》せとったなあ……」

レイコさんと珠代さんは顔を見合わせた。

「そう言えば、最近、外でサブが仕事しよるんを見んようになったのう」と達爺《じい》も、ぼそっと言う。

やだぁ、とレイコさんが今度はキミ婆と顔を見合わせたところに、隆造さんがパチンコから帰ってきた。

「おう、なんか訳のわからん看板が出とったのう」

「県道のところやろ?」

珠代さんが言うと、隆造さん、「はあ?」と怪訝《けげん》そうな顔になった。「県道やら、わし、今夜は通っとらんけん」

「ほんなら、どこにあったん、その看板」

「駅の裏手じゃ。ほれ、山崎のばあさんのところの田んぼがあろうが、あそこよ」

珠代さんの顔色がサッと変わった。

キミ婆も「隆造、どげなことが書いてあったんな」と声を強めて訊いた。

「おう、なんか、〈絶対反対!〉いうて、なにが反対なんやら、わかりゃせんのよ」

ハハハッ、と隆造さんはのんきに笑ったが、笑い返す声はなかった。

山崎のばあさんの田んぼもまた、サブちゃんが世話をしているのだ。

珠代さんの誇る情報網は、翌日の午前中までに、梅郷の町じゅうの田んぼの様子を調べあげて報告した。

〈絶対反対!〉の看板は、ぜんぶで七つ。すべてサブちゃんが頼まれて世話をしている田んぼで、ここ二、三日のうちに立てられたらしい。

キミ婆が、サブちゃんの家に電話をかけた。

誰も出なかった。


病院と来れば、キミ婆の出番だった。町や集落を超えて、かかりつけの病院でつながり合う老人のネットワークは、珠代さんが梅郷の町に張り巡らせた情報網でも追いきれない。

「サブがほんまに市民病院に入院しとるんじゃったら、あんたら若い衆より、うちら年寄りが動いたほうが話が早いんじゃ」

「だいじょうぶなん？　あんまり無理して、話が変なほうに転がると……」

珠代さんは心配顔だったが、キミ婆に言わせれば、畑仕事からご近所の付き合いまで子ども夫婦に第一線を譲った年寄りにとって、病院とは最後の最後まで現役でかかわれる場所なのだという。

「うちに任せときんさい、三日もあれば調べがつくけん」と胸を張るキミ婆の言葉どおり、市民病院に入院中や通院中のお年寄りたちは、いっせいにサブちゃんの病状について調べていった。

三日後にはすべてわかった。正確には、わかってしまった。もっと正確には、ほんとうは、わからないままのほうがよかったかもしれない。

キミ婆は報告の途中で涙ぐんでしまった。

「サブがかわいそうじゃ。かわいそうで、もう、たまらんわ……」

サブちゃんは糖尿病で入院していた。

病院を訪ねた時点で病状はかなり進んでいたので、入院は長期にわたりそうだし、全快は、まず望めない。

さらに、精密検査をすると、次々に赤信号や黄信号が灯《とも》された。肝機能は肝硬変すれすれまで落ちていて、腎臓《じんぞう》もよくない。胆嚢《たんのう》にポリープもできているし、十二指腸潰瘍《かいよう》もある。歳は六十二でも、内臓のほうは七十代から八十代の状態……要するに、「体がぼろぼろになっている」というやつだった。

「サブは若い頃から病院の嫌いな奴じゃったけえ」と達爺はため息をついた。「歳からすれば他人事《ひとごと》ではすませられない隆造さんも、「会社に入っとらんと定期検診もないし、町の検診に行くような性格じゃないしのう……」とおなかをさすりながら言った。

「ほいでも、田植えの頃は元気にしとったのに」と珠代さんが言うと、キミ婆は「無理してがんばっとったんじゃ、サブはそういう子なんじゃ」と怒ったように言って、また涙ぐむ。

キミ婆がなにより悲しんで、なにより怒っているのは、一人暮らしのサブちゃんには付き添ってくれる家族がいない、ということだった。

「あの子が一人で病院に行って、一人で入院の支度をして、鶴山までバスに乗って出かけたんじゃ思うたら、もう、それだけで、泣けてくるがな……ほんま、泣けて泣けて、かなわんよお……」

キミ婆はさめざめと泣いた。

レイコさんはキミ婆がこんなに泣くのを見るのは初めてだった。

老人の涙は、少々の泣きっぷりでは、頬を伝い落ちることはめったにない。瞼《まぶた》の下の皺《しわ》にひっかかって、そこから先へはなかなか進まない。ハンカチで涙を拭《ぬぐ》うのも、皺に溜《た》まった涙をすくい取るというような手つきになってしまうのだ。

だが、いま、キミ婆の流す涙は、頬を川のように伝って、顎《あご》からぽとぽとこぼれ落ちる。

「つらいのう、サブよ、つらいのう……ひとりぼっちはつらいのう……ばあちゃんにはわかるけんのう、あんたの寂しさは、ばあちゃんにはわかっとるけんのう……」

声をかけようとした珠代さんを、達爺が目で制した。隆造さんもじっと押し黙って煙草をふかす。

レイコさんは小さくため息をついた。サブちゃんを子どもの頃から知っているキミ婆の「わかる」には及びもつかなくても、レイコさんだって、ひとりぼっちで入院したサブちゃんのことを思うと、せつなくてたまらなくなる。

サブちゃんは、梅郷の子どもたちの人気者だった。服装にも髪にも無頓着で、正直に言えば、薄汚い格好をしていた。真冬でも浅黒く日に焼けて、煮しめたような色の手拭いやタオルで汗をごしごし拭《ふ》きながら、畑仕事や修繕仕事で毎日働き詰めだった。いつも笑っていた。上機嫌に、屈託のない、というより、なさすぎる笑顔を浮かべて、学校の行き帰りの子どもたちを見かけると「おう、しっかり勉強して、ええ学校に行って、エラジンさんになりんさいよぉ」と声をかける。

いいひとなのだ。いいひとすぎて、たぶん都会なら親が子どもに「あのおじさんと遊んじゃだめよ」と釘《くぎ》を刺すようなひと、なのだ。

キミ婆が泣きやむのを待って、隆造さんが言った。

「ほいで、どないするんな、サブちゃんのことは」

キミ婆は赤い目をかっと見開いて、「うちらが面倒見てやる」と言った。

「うちら、って?」

「年寄りじゃ」

そんな無茶な、と苦笑した隆造さんを、キミ婆は「本気じゃ!」と一喝した。

市民病院に入院している梅郷のお年寄りは、内科だけで十人以上いる。通院なら、その何倍にもなる。

「入院中の下着の洗濯やらこまごました手伝いは、入院しとる年寄りがやる。通院の年寄りは、病院に行ったら必ずサブの見舞いをして、足りんもんや要るもんがあったら聞いといて、次の日に病院に行く者が買うてきてやる。サブが退院したあとも、みんなで面倒を見てやればええ。サブには町じゅうが世話になっとるんじゃけん、ここで恩を返してやらな、いつ恩返しができるんな。それが人情いうもんじゃ。梅郷は、他になんにものうても、人情だけは篤《あつ》い土地なんじゃけん……」

話しているうちに再び感情が高ぶってきたのか、また涙声になってきた。

「わかった、わかった、おふくろ、ようわかった。わしらもできるだけのことはするけん」

隆造さんはあわてて言って、珠代さんも、婦人会の集まりでサブちゃんのことを話してみる、と約束した。

一方、達爺《じい》はしかめつらで腕組みをして、「わしは反対じゃ」とかぶりを振る。

「……なんで？」とキミ婆は咎《とが》めるように聞き返す。

「よその者が手を出す前に、サブの面倒を見てやらんといけん者がおるじゃろうが。そっちに見させるんがスジじゃ」

達爺の言う「スジ」――サブちゃんには兄弟がいる。兄貴が二人。一郎と、次郎。

「そっか、だから三郎なんだ……」レイコさんは思わずつぶやいた。「でも、わたし、一度も見てないよ、お兄さんたちのこと」

二十数年前に梅郷に嫁いできた珠代さんもそうだったし、隆造さんでさえ、もう三十年以上も二人と会っていない。

「親の法事には顔を出しとるらしいけど、一郎も次郎も用がすんだら一泊もせんと帰ってしまうけん……」

隆造さんが言うと、キミ婆は憮然《ぶぜん》とした顔で「梅郷が嫌いなんじゃろうよ、あのエラジンさんらは」と吐き捨てた。

一郎と次郎は、どちらも山陽市に住んでいる。一郎が弁護士で、次郎は開業医。二人とも紛《まが》うかたなきエラジンさん――ふるさとに背を向けたままの、エラジンさんだったのだ。

3

次の日、キミ婆はうんと早起きして、おはぎをつくった。サブちゃんへのお見舞いに持っていってやるんだ、という。

「サブは甘いもんが好きじゃけえ、喜ぶわ」と重箱一杯におはぎを詰めるキミ婆を見ていると、レイコさんも胸がじんとしてくる。

だが、サブちゃんは糖尿病なのだ。

「ねえ、おばあちゃん、やっぱりだめだと思うよ、おはぎは」

「なにを言うとるんな、病気を治すには好物を食べるんがいちばんなんじゃけん」

「そういう問題じゃないと思うけど……」

「漬け物も入れとくけん、おはぎ食うたあとに漬け物をかじればだいじょうぶじゃ」

確かに、キミ婆のつくる漬け物は、青菜漬けでもたくわんでも、店で売っているものよりずっと塩辛い。しかし、とにかく、そういう問題ではないのだ、糖尿病というものは。

キミ婆はさらに、「サブに飲ませちゃるんじゃ」と、自家製のニンニク酒も用意した。風邪気味のときの特効薬である。

「病院でお酒なんか飲めないでしょ」

「じゃけん、これに入れて持っていくんじゃ」

台所の戸棚の奥から出してきたのは、何年前のものなのか見当もつかない、駅弁のお茶のプラスチック容器だった。物持ちのよさを自慢して、「おばあちゃんなあ、こういうときが来るんじゃないかと思うとったんよ、ほんまに」とご満悦のキミ婆に、レイコさんはもはやなにも言えなかった。

さらにさらに、仏壇に供えてあったリンゴとブドウも加えると、紙袋は取っ手が切れそうなほど重くなった。

「だいじょうぶ？　持っていけるの？」

「あんたがだいじょうぶなら、だいじょうぶじゃ」

「……荷物持ち？」

「この家で昼間からぶらぶらしとるんは、あんたしかおらんじゃろう」

なにも言い返せないところが、つらい。

しかたなく、キミ婆と二人で家を出た。

外は朝からいい天気だった。キミ婆は日傘を差して、とことこと歩く。邪馬台国《やまたいこく》の頃の貫頭衣にまで起源がさかのぼれそうな、体を締めつけるところのいっさいないワンピースに、薄手のカーディガンを羽織っている。ワンピースは灰色で、カーディガンは紺。この町のお年寄りは、派手な色遣いの服は決して着ない。農村ののどかな風景に溶け込む、保護色のような色の服ばかりだ。とことこ、とことこ、田んぼの中の一本道をバス停に向かって歩くキミ婆の背中を見つめていると、瞬《まばた》きの間にキミ婆の姿がすうっと消えてしまっても、ぜんぜん不思議ではないような気もしてくる。

県道沿いのバス停に着いた。次のバスまではあと十五分。ちなみに、その次のバスまでは、あと一時間二十五分。「だから、もっとゆっくりでいいって言ったのに……」とレイコさんがぼやいても、キミ婆は「乗り遅れるよりましじゃ」と譲らない。お年寄りはのんびりしている、というのは嘘だ。レイコさんはいつも思う。立ち居振る舞いのテンポは遅くても、いや、遅いからこそ逆に、気持ちのほうはせっかちになる。帰郷して半年が過ぎて、そういうところがだいぶわかるようになった。

バス停のポールの脇に、道祖神がある。キミ婆はそれを拝んで、お見舞いのブドウの房の三分の一ほどをちぎってお供えした。

「おばあちゃん、いつも拝んでたっけ？」

「レイコも子どもの頃は一緒に『のんのんしようやあ』いうて拝んどったがな」

「……そうだっけ」

キミ婆は日傘をくるっと回して天を仰いだ。「空が高うなったなあ」とつぶやいて、今度は逆の向きに日傘を回す。

レイコさんはくすっと笑った。傘を回すのはキミ婆の癖だということに、つい最近気づいたばかりだった。東京で過ごした三年間のブランクのおかげかもしれない。ずっと梅郷で暮らしていたのでは見過ごしたままだったはずの家族のちょっとした癖や、ふるさとの風景の淡い陰影が、くっきりと見て取れるようになった。

バス停のすぐそばの田んぼは、雑草に覆われた空き地になっている。レイコさんが

高校生の頃から、耕すひとがいなくなった。あの頃は「ヤブ蚊が増えて嫌だなあ」としか思わなかったが、いまは違う。まだ新しい廃屋や、収穫の手が回らないまま萎《しな》びてしまったトマトを見ていると、胸の奥がうずく。同情ではない。悲しみとも微妙に違う。むしろ、怒りや悔しさのほうが近い――でも、なにに対して？

「サブの世話しとった田んぼ、どげんするんかなあ……」

キミ婆が、ぽつりと言った。いまの稲の実りぐあいなら、遅くとも再来週には稲刈りをしないとまずいらしい。

「やっぱり、持ち主のひとがやるしかないんじゃないの？」

「それができるぐらいなら、最初からサブに頼まんわい」

「……そうだね」

キミ婆の日傘が、また、くるくるっと回る。

空は高く、青い。白い絵の具を筆でさっと塗ったような薄い雲が、かえって空の青さをきわだたせる。

「あの看板、なんだったんだろうね」

「うん？」

「ほら、〈絶対反対！〉の看板。サブちゃんが立てたのかなあ、やっぱり」

「まあ、ほかに立てる理由のある者は誰もおらんじゃろう」

くるくるっ、くるくるっ、くるくるっ……。

「訊《き》いてみていい？　サブちゃんに」

キミ婆は黙って、また日傘を回した。右に、左に、くるくるっ、くるくるっ、くる

サブちゃんは六人部屋のいちばん奥にある窓際のベッドにいた。

キミ婆が入ってくると、読んでいた古い『少年ジャンプ』から顔を上げて、「ああ、キミさん、どうも……」と無精髭《ぶしょうひげ》の生えた顔をほころばせた。

キミ婆は、よろよろと危なっかしい足取りで、ベッドに向かった。

「サブよ……どげんしたんな、こげん痩《や》せてしもうて……のう、痛いんか？　どこが痛いんな……」

サブちゃんの腕をさすりながら、半べそをかいて言う。確かに痩せた。一目見ただけで、退院しても力仕事はもう無理だろうな、とレイコさんにもわかる。

だが、サブちゃんが最初に口にしたのは、田んぼのことだった。稲の様子を心配そうにキミ婆に尋ね、稲刈りまでには絶対に退院するから、と言った。

そして「キミさん、あの看板、見てくれたかあ？」と、子どもがいたずらを自慢するみたいに言った。

「おう、見たでえ、梅郷の者はみんな見とるで、あれ」とキミ婆が涙声で答えると、

「そりゃあよかった」と満足そうにうなずく。

「あの……」レイコさんは思わず口を挟んだ。「〈絶対反対!〉って、どういう意味なんですか?」

「……あんた、レイちゃんか。大きゅうなったのう、もう大学生ぐらいじゃろう」

いいえ、じつはまだ……と言いだすと話が脇にそれてしまうので、黙ってうなずいた。

「がんばって勉強して、エラジンさんになりんさいよお」

子どもの頃と同じことを言われて、瞼《まぶた》の裏がちょっと熱くなった。だが、ここで話が終わってしまっては、意味がないのだ。

「〈絶対反対!〉って、なんですか?」

重ねて訊くと、サブちゃんはフフッと笑って、「あげん書いとったら、みんなが田んぼを見るじゃろう」と言った。

「は?」

「みんなが見てくれたら、田んぼの様子がおかしいときでも、すぐにわかる」

「……だから、看板書いたんですか?」

「おう。入院してしもうたら、田んぼを見て回れんじゃろう。ほいじゃけえ、あわてて夜中に立てて回ったんじゃ」

最初は、ただただ啞然《あぜん》とした。あきれて言葉も出なかった。だが、しだいにその沈黙が胸に染みて、せつなさに変わっていった。

入院を間近に控えたサブちゃんが、一人で看板を作り、誰にも知られないよう夜中に家を出て、真っ暗な田んぼに看板を一つずつ立てていく、その光景を思い浮かべると、瞼の裏の熱さが急に増してくる。

「ひとが見てくれたら、稲もよう実る。ほんまで、ほんまのことじゃ、田んぼも畑も、ひとが見てくれればくれるほど、元気になる」

サブちゃんの言葉に、キミ婆は声をあげて泣きながら「優しい子じゃなあ、サブはほんまに、優しいよなあ」と、腕をさすっていた手を頰にあてた。

「キミさん、くすぐったいがな……」

と言いながら、サブちゃんもうれしそうだった。「キミさんに褒めてもろうたことやら、いままでありゃせんかったけん」と笑う。目を細めると、落ちくぼんだ眼窩《がんか》の影が、ほんのちょっとだけ、薄くなった。

サブちゃんは、梅郷のひとたちに心配をかけたくないから、黙って入院した。病気のことも、誰にも話していない。梅郷のひとたちだけではなく、一郎と次郎にも、だった。

「一郎兄ちゃんも次郎兄ちゃんも忙しいけえ、よけいな心配かけたら、悪いがな」

さばさばとした口調で言う。

「アホ、なに言うとるんな」

キミ婆の声から涙の湿り気が消えた。「兄弟じゃろうが、おまえら、そげな遠慮することがあるか」——レイコさんも、そうそうそう、とうなずいた。

「ほいでも……悪いがな」

「悪うない！　兄弟がこげなときに助け合わんで、なんが兄弟じゃ！」

「兄弟じゃいうても、兄ちゃんらは、わしとは違うけん。エラジンさんになって、がんばっとるんじゃけん、わしがよけいな心配かけたらいけんがな」

サブちゃんは、そういうひとなのだ。

「なあ、キミさん、わし、兄ちゃんらが山陽でエラジンさんになっとるんがうれしいんよ。自慢なんよ、わし、兄ちゃんらのことが。ほいじゃけえ、見舞いに来てもらうより、兄ちゃんらが仕事をがんばってやってくれとるほうが、よっぽどええよ。兄ちゃんらがエラジンさんでがんばっとるんじゃ思うたら、もうそれだけで病気も治るよ、じきに」

そういうひとなのだ、サブちゃんは、ほんとうに——。

だが、キミ婆は、そういうことを黙って聞き入れられないひとだった。

病院を出ると、険しい顔でレイコさんに言った。

「いまから山陽に行くで。一郎と次郎にガツンと言うちゃらんと、気がすまん」

「だったら、電話で……」

「文句と説教は、面と向こうて言わんと意味がないんじゃ！　ええけん、すぐに山陽に行ける手を考えてくれえ」

キミ婆の性格からすれば、二時間に一本のローカル線など、待ってはいられないだろう。

と、なれば――レイコさんに使える手は、たった一つしかなかった。

「ちょっと、あんたさあ……ひとをタクシー代わりにしてない？」

電話口でムッとするイネちゃんに、レイコさんは言った。

「梅郷で昼間からぶらぶらしてるのって、イネちゃんしかいないんだもん」

「勝手に決めんなっての。いまさあ、聞こえるでしょ、音」

「うん……すごい騒がしいけど」

「パチンコ、絶好調なわけよ。すぐには出られないわけよ、わかる？」

「だから、そこをなんとか……」

「ちょっと待って、山陽市だよね、行き先」

「そう。県庁の近くなんだけど」

少し間をおいて、イネちゃんは「代わりの運転手でもいいよね」と言って、レイコさんが聞き返す間もなく電話を切った。

「代わりの運転手」の正体は、五分後にわかった。市民病院の玄関にやってきたのは、『鶴山書房』のライトバンだった。

「ちょうど山陽まで出る用があったんで、よかったらどうぞ」

若社長のカッちゃんは、運転席の窓を開けて、にこやかに言った。


カッちゃんの運転するライトバンは、山陽市に向かってひた走る。助手席に座ったキミ婆は、窓の上のグリップを両手で握りしめながら、「もっと飛ばしんさい！　若いんじゃけん！」と言いつのる。

数少ない信号機の、めったにない赤信号で停まった。キミ婆は、もう、それだけで気に入らない。

「ええ若い者が信号で停まってどげんするんなら！」

「いや、あの、そう言われましても……」

「おばあちゃん、落ち着いて、ね？」

「うちはエラジンと違うんじゃけん、こげんときに落ち着いてかまえられるか！」

めちゃくちゃな理屈でも、思いは、レイコさんにも痛いほど伝わる。

信号が青に変わると、カッちゃんはすかさず車を発進させ、ぐんぐん加速していった。信号無視はさすがにできなくても、いきさつをレイコさんから聞いたカッちゃんだって怒っているのだ。いかにも老舗《しにせ》書店のボンボンかつ東大卒の優等生らしいおだやかな顔に、いまは静かな憤りがにじんでいる。

山陽市に近づくと、家が建て込んできて、車の流れも滞りがちになった。

「裏道のほうが早いかなあ……」

カッちゃんはひとりごちて、ラジオを点《つ》けた。交通情報を確かめて、「やっぱり裏道を抜けていこうか」とスイッチを切りかけたとき、天気予報のアナウンスが聞こえた。

大型の台風が、沖縄に接近中──。

西日本を直撃するルートを進んでいる、という。「各地の農作物への被害が心配されます」とアナウンサーは言った。いまの台風の位置と東北東へ進むスピードからいくと、あと数日でこの地方も暴風圏に入るだろう。

黄金色に染まった田んぼを思い浮かべて、レイコさんは唇をきゅっと結ぶ。無事に収穫ができることを祈った。田んぼの真ん中に生まれ育ちながら、そんなことを思ったのは、生まれて初めてだった。

「とにかく、粘り強く説得しなきゃなあ」カッちゃんは自分に言い聞かせるようにつぶやく。「仕事もあると思うけど……やっぱり、それ、おかしいもんなあ……」

レイコさんも、ですよね、とうなずいた。

ところが、キミ婆はぼそっと、切り捨てるように言った。

「ひとのこと言えるんか、あんたらも」

「え？」

「あんたらがオトナになって、都会に出て、同じようなことになったら……ほんまに、ちゃんとやってくれるんか？」

仕事をなげうって、ふるさとへ帰れるのか――。

足手まといになる家族を引き取って、一緒に暮らせるのか――。

カッちゃんもレイコさんも押し黙った。「やります！」と無邪気に答えられない。それが悔しい。けれど、無邪気さは簡単に無責任さに変わってしまうんだ、ということも、二人ともよくわかっている。

渋滞に巻き込まれた車は、のろのろとしか前に進まない。そのもどかしさを背負ったように、キミ婆はゆっくりとため息をついた。

弁護士のエラジンさんは、ふるさとからの突然の客を薄っぺらな笑顔で迎えた。愛想は悪くない。だが、困りますねえ迷惑ですねえ田舎者はだから嫌なんだ、という思いが、目に見えない霧のように笑顔にまとわりついていた。

サブちゃんの病気のことは初めて知った、という。知っても、たいして驚かなかった。べつに命がいますぐどうこうってわけでもないんでしょう、と――むしろ、こんな用事で事務所まで押しかけたのか、とあきれるような様子だった。

レイコさんでも気づくほどだから、キミ婆がその冷ややかさを察しないはずがない。それでも、キミ婆は感情の高ぶりを抑えて、「一郎よ、どげんかならんのか、サブのこと」と訴える。「サブもええ歳なんじゃけん、一人暮らしもしんどいんじゃ」と切々と言う。

だが、一郎は懐かしさなどかけらもない目でキミ婆を見て、かすかに、ふふっと笑って、言った。

「それじゃったら、次郎のほうがええん違いますか。次郎は医者なんじゃし、家もウチより広いし」

絶句するキミ婆から、すっと目をそらして、つづける。

「金は出しますけん。なんぼ出せばええんでしょうなあ」

医者のエラジンさんにとっても、キミ婆は招かれざる客だった。診察室に三人を招き入れたときから、壁の時計に露骨にちらちらと目をやっていた。

「一人暮らしのほうが気持ちに張りがあるぶん、健康にはええんですよ。身内に引き取られたあと、あっという間にボケてしもうたお年寄りは、なんぼでもおりますけん」

言葉はなめらかで、淀《よど》みない。だからこそ、ひどく、そらぞらしい。

「森原さんのお気持ちもわかりますが、そげん心配せんでもええですよ。三郎は頭のネジがゆるいぶん、体はじょうぶでしたけん」「それより、なしてウチに来られたんです？　兄貴のほうに先に話をするんがスジと違うんですか？」「兄貴がそげなこと言うたんですか。まあ、兄貴は勝手な男ですけん。ウチもごらんのとおりの町医者ですわ。女房も副院長で毎日忙しゅうしとるんです。毎日毎日遊び歩いとる義姉《ねえ》さんとは違うんです」……。

そして、最後に一言、声をひそめて言った。

「兄貴のところは毎月なんぼ出す言いよりました？　わしも同じだけ、金は出さしてもらいますけん」

キミ婆は、今度もまた、ただ絶句するだけだった。

帰りの車の中は重苦しい沈黙に包まれた。行きとは一転、キミ婆はリアシートに座って、一言もしゃべらない。レイコさんもカッちゃんも短い世間話を交わすことさえ憚《はばか》られて、ときおりルームミラーでキミ婆の様子を確かめては、そっとため息をつく。

一時間ほどの道のりの半ばを過ぎた頃、キミ婆が「買い物をしたい」と言いだした。『道の駅』に入った。車を降りたキミ婆は、売店に一人で歩きだす。「おばあちゃん、一緒に行こうか？」とレイコさんが声をかけても、返事もしない。

「一人にしてあげたほうがいいかもな」

カッちゃんがぽつりと言った。レイコさんは、そうだね、と助手席に座り直す。

「おばあちゃん、かわいそう……ひどいよね、あの二人……」

「うん、ほんと、ひどいと思う」

いったんうなずいたカッちゃんだったが、ため息を挟んで「でも」とつづけた。

「俺が一郎さんや次郎さんの立場でも、やっぱり同じかもしれない。二人にもそれぞれの生活や立場があるんだし、東京や大阪に出て行ったきり、田舎の親をほったらかしにしてるひと、梅郷にも鶴山にもたくさんいると思うよ。俺だって東京に出たままだったら、そうだったかもしれない」

レイコさん、うつむいて唇を嚙《か》みしめる。

そんなことない、みんなはそうかもしれないけど、わたしは違う――。

言いたいけれど、言えない。きれいごとだと、自分でもわかるから。

急にいたたまれなくなって、「ジュース、買ってくる」と逃げるように車を降りた。

キミ婆は売店でまだ買い物をしていた。土産物の箱やお菓子の袋を両手で抱きかかえるようにしながら、なおもお菓子の棚に手を伸ばす。

「どうしたの、おばあちゃん、そんなに買っちゃって」

「サブは甘いものが好きじゃけん。甘いものを食べよると、ご機嫌になるんじゃけん。買うちゃるんじゃ、病院に持って行っちゃるんじゃ……のう、サブ、ばあちゃんらは、みんなサブが好きなんじゃけん、お茶いれて一緒に食べようなあ、お菓子ぎょうさん食べようなあ……」

つぶやき声の最後は、涙でくぐもった。

4

三日後の朝――。

勢力を強めながら北上をつづけた台風は、ついに九州の国東《くにさき》半島付近に上陸した。梅郷も、あと半日もすれば暴風圏に入ってしまう。

ふだんはお年寄りとおばちゃんばかり目立つ梅郷の町を、今日は仕事を休んだ男たちが朝から忙しそうに行き交っている。森原家でも隆造さんと達爺《じい》が手分けして田んぼや畑を見回り、消防団の面々と一緒に川の水量を確かめて、万が一のときに備えて土嚢《どのう》を倉庫の奥から手前へと移した。この様子なら、タカツグの高校も午後から休校になるだろう。

「タカが帰ったら、店のほうの戸締まりを見に行かせてくれ！」――雨や風の音に負けないよう、隆造さんは大声で怒鳴る。子どもの頃は台風のたびに「なにかすごいことが起きてる」とわくわくしていたレイコさんだったが、もちろん、いまはもう、稲刈り前の台風が農家にとってどれほど怖いものか、よくわかっている。

そんな最中、キミ婆に、鶴山市民病院に入院中のヒデ婆から電話がかかってきた。サブちゃんが、梅郷に帰る、と言い張って聞かないのだという。

「田んぼのことを案じとるんじゃ」

キミ婆はこわばった顔で、唖然とするレイコさんを振り向いた。

「レイコ」

「なに？」

「来年、東京の大学受けるんか」

「……急になに言いだすの」

「山陽でもどこでもええ、梅郷は出て行くんじゃろう？」

「……うん、たぶん」

「もう帰らんか」

「わかんないよ、そんなの」

「いまはわからんでもええ。ほいでも、忘れんといてくれ。これからレイコがどげんエラジンさんになっても……人間の情をなくすような者は、ほんまのエラジンさんとは違う」

「……うん」

「金の話をするときは、恥ずかしい顔をせえ。自分の都合を言うときは、つらそうな顔になれ。身内を……身内を捨てるときは……涙のひとつも流せえ……ええの、レイコ……」

レイコさんは黙ってうなずいた。言葉にして「わかった」とは言わなかった。言えなかった。口に出して言ってしまうと嘘になる、という気がした。

キミ婆は、よし、とうなずいて、高らかな声で言った。「隆造、車を出せえ！　レイコと一緒に、サブの世話をしとる田んぼを見回ってこい！」

キミ婆を家に置いて、レイコさんと隆造さんは田んぼの見回りに出かけた。風雨は家の中で感じる以上に激しかった。荷台が空っぽの軽トラックは、そうでなくても安定が悪い。そこに強い横風と、ワイパーが追いつかないほどの大粒の雨だ。視界はほとんど利かない。ときどきトタンの切れ端や捨て看板も飛んでくる。磨《す》り減ったタイヤはカーブのたびにずるっと横に滑り、とられそうになるハンドルを隆造さんが必死に握りしめると、今度は車体ごと風にあおられて浮き上がりそうになる。

黄金色に染まった田んぼが、激しく波打っている。雨に打たれ、風にさらされる稲穂は、苦しそうに、痛そうに、揺れている。

車を停めては、二人で雨合羽《あまガッパ》を着込んで外に出て、田んぼの様子を確かめる。あぜ道が崩れかけたところがないか、根こそぎ倒れてしまった稲穂が周りの稲穂までなぎ倒してはいないか、近くの川の水かさはどうだ、用水路の水門は壊れていないか……。

サブちゃんの見ている田んぼは、幸い、どれも異状はなかった。もっとも、〈絶対反対！〉の看板はすべて倒れて、どこかに飛んで行ってしまったものもあったけれど。

「農家って……大変だよね」

最後の田んぼの見回りを終えたあと、車の中で雨合羽を脱ぎながら、レイコさんはため息交じりに言った。「一年間、必死に育ててきても、最後の最後で台風が来れば、ぜんぶパー……なんか、むなしくなっちゃうね」

隆造さんはちょっと困った顔であいまいにかぶりを振って、「ほいでも……」と言った。「じゃけん、美味《うめ》えんよ、米や野菜やくだものは」

自分の言葉に自分で照れて、「まあ、ほんまに美味えんかどうか、ようわからんけどの」と笑う。

そんなことないよ、と笑い返したとき、レイコさんの携帯電話が鳴った。

キミ婆からだった。

「おおごとじゃ！」

「どうしたの？」

「サブが……サブが、病院を抜け出してしもうた！」

田んぼを隆造さんとレイコさんに任せて一安心していたサブちゃんだが、ついさっき、「忘れとった！」とベッドから起き上がり、そのまま病室を出て、玄関前で客待ちをしていたタクシーに飛び乗ったのだという。

忘れ物の正体は、キミ婆にもわからない。だから、どこをどう探せばいいのか、見当もつかない。

すでに珠代さんや達爺も車で探しに出かけた、という。さらに、カッちゃん率いる〈21世紀の鶴山を考える会〉の面々も。

キミ婆は涙交じりに訴える。

「おまえらも一緒に探してくれえ、梅郷の隅から隅まで探してくれえ！」

サブちゃんは、なかなか見つからない。タクシーで家に帰った、というところまでは情報が入ったものの、その先がわからない。

風雨はますます激しくなり、消防団の緊急集合を知らせる町役場のサイレンが鳴り響いた。

「川があふれそうじゃ」「役場の裏の銀杏《いちょう》の木が折れてしもうたぞ」「小学校の廊下の窓ガラスが割れたらしい」「鶴山のほうは停電したらしいど」「上田のカズさんがたのビニールハウスが飛んでしもうた！」「汽車が動かん！　線路が水に浸《つ》かったけん！」「危ないけん、子どもを外に出すな！」「電線が切れるかもしれんけん、よう見とけえよ！」「山下の集落の者は、公民館に避難させえ！　崖《がけ》が崩れても知らんど！」……。

サブちゃんを探す面々も、携帯電話で緊迫したやり取りをつづける。

「おったか？」「おらん！」「おったか？」「いけん、おらんかった！」「川のほうはどないじゃ」「あふれそうじゃ、濁流じゃ」「川に落ちとったら、助からんど」「アホ！　縁起でもないこと言うな！」「アホアホ言うな、アホ！」「ここで喧嘩《けんか》してどげんするんな、ドアホ！」……。

探しはじめて一時間ほどたった。思いつくところはすべて回ってみたが、サブちゃんの姿はまったく見えない。

レイコさんの胸に、最悪の事態の可能性がよぎる。振り払っても消えてくれない。

そのときだった。

レイコさんの携帯電話が鳴った。

発信者表示には、イネちゃんの名前――。

「レイコ！　いたよ、いた、サブちゃん、見ーっけ！」

こういうときにもかくれんぼのノリを失わないのが、イネちゃんなのだ。

サブちゃんは、梅郷でもいちばん奥まった場所にある松岡《まつおか》さんの家にいた。

「松岡さん？　あそこは、誰もおらんじゃろうが」

連絡を受けたキミ婆は、安堵《あんど》しながらも怪訝《けげん》そうに言う。松岡さんの家は、息子さんが都会に出ていったまま帰郷せず、二年前におばあさんが亡くなってからは空き家になっているのだという。

とにもかくにも、キミ婆を車に乗せて、松岡さんの家に向かった。

サブちゃんは、屋根の上――。

屋根ごと吹き飛んでしまいそうな強い風の中、端がめくれかけていたトタン板に釘《くぎ》を打ちつけていた。

闘病中の痩《や》せた体で。雨合羽もなく、ずぶ濡《ぬ》れになって。

レイコさんたちに気づくと、いたずらを見つかった子どものように肩をすくめる。

「サブ、なにしよるんなら！」キミ婆が怒鳴った。「危ないけん、早う降りて来い！」

すると、サブちゃんはのんきな声と屈託のない笑顔で、「屋根を修繕しとかんと、雨漏りがするけんのぅ」と言った。「わし、死んだばあさんから、家の世話を頼まれとったけん」

空き家——もはや、廃屋と呼んでもいい家なのだ。住むひとのいない、これからもたぶん誰も住まない、朽ち果てていくだけの家なのだ。

それでも、屋根から危なっかしい足取りで降りてきたサブちゃんは、気負いもてらいもなく、言った。

「雨漏りしたら、家が、寒い寒いいうて、風邪をひいてしまうがな」

ほんもののエラジンさんが、ここに、いた。

泣きじゃくるキミ婆に抱きつかれて、困惑して目をぱちくりさせ、へへへっと笑った。

台風の過ぎ去った梅郷は、一気に秋が深まった。

一週間後の日曜日に、サブちゃんが世話をしていた田んぼの、待望の稲刈りが始まった。

コンバインを運転し、脱穀のあとの藁《わら》クズを田んぼにきれいに敷き詰めるのは、カッちゃんをはじめとする〈21世紀の鶴山を考える会〉あらため、鶴山も梅郷もまとめて〈21世紀のふるさとを考える会〉の若手メンバーたち。レイコさんとイネちゃんも、隆造さんや珠代さんに「違う違う、こげんするんじゃ」「あんたらのやり方じゃったら、三日かけても終わりゃせんよ」と小言を言われながら、刈り取った籾《もみ》の袋詰めを手伝った。

一枚の田んぼが終わると、次の田んぼ、それが終わると、また次……。

早朝から始めた作業がすべて終わったのは、夕暮れ間近の頃だった。

そこに、達爺《じい》の車が到着した。病院から外出許可をもらったサブちゃんが駆けつけたのだ。

稲刈りの終わった田んぼを、サブちゃんはまぶしそうに眺め渡す。「田んぼはええなあ、きれいじゃなあ」とうれしそうにつぶやく。

田んぼから道路にひきあげてきたレイコさんたちは、汗と泥に汚れたお互いの顔を見て、子どものように笑う。誰かが「バンザーイ!」と声をあげた。それに合わせて、みんなも「バンザーイ!」「バンザーイ!」「バンザーイ!」……なにが「バンザイ」なのかはよくわからない。それでも、収穫は、めでたい。ひたすらめでたい。

「来年の春は田植えもやりてえのう」「そうじゃのう、サブちゃんに教わって、みんなでやってみるか」「鶴山にも人手の足りん田んぼがぎょうさんあるけん、みんなで回っていけばええがな」「そうじゃそうじゃ」……。

若者たちのやり取りを、サブちゃんは達爺に体を支えられながら、にこにこ微笑んで聞いている。

その笑顔は、梅郷のあちこちにある道祖神に似ていた。

「ねえ」イネちゃんが小声でレイコさんに言った。「わたし、いま思ったんだけどさ、サブちゃんの顔って、いいよね」

「いい、って？」

「福々しいっていうか、なんか、みんながハッピーになる顔じゃん」

「うん……」

「サブちゃんをモデルにして、マスコットをつくるわけよ。で、携帯ストラップとかにしちゃうの。それって、けっこういい感じの町おこしになると思わない？」

マスコットの名前は、もちろん――『エラジンさん』。

「打ち上げのとき、みんなに提案してみるね。レイちゃんも賛成してよ。いい？」

今夜の『ウッド・フィールズ』は、〈21世紀のふるさとを考える会〉の貸し切りになる。飲んで歌ってしゃべりまくる一夜のファンファーレを奏でるように、サブちゃんは夕焼け空を見上げて、『遠き山に日は落ちて』を口ずさんでいた。

最終話　ふるさと

1

「ちょっと相談に乗ってほしいことがあるんだけど」とイネちゃんから電話を受けたのは、十一月の初めだった。

その時点で気づくべきだった。あとになってから、レイコさんは自分の鈍感さを大いに悔やんだものだ。

相談に乗ってほしい？　おせっかいとお説教が大嫌いなイネちゃんが相談事？　どう考えたって不自然だったのだ。せめて電話で「どんな話？」ぐらいは訊《き》いておけばよかった。そうすれば、あとでイネちゃんの両親から「レイちゃん、なして止めてくれんかったん？」と責められることもなかったのだ。

日曜日の午後、『梅の郷公園』で待ち合わせた。イネちゃんにしてはずいぶん牧歌的な場所を選んだな、と少しだけ怪訝に思った。その時点で……と言いだせば、きりがない。

とにかく、レイコさんは『梅の郷公園』に向かった。

町を見渡す丘につくられた『梅の郷公園』は、二月になれば数百本の梅の花が満開になる、梅郷町で唯一と言っていい観光地だ。町の名前からすると、さも由緒ありそうな公園に見えるものの、歴史的背景は皆無。バブル時代のふるさと創生一億円で、「せっかくじゃけん」と丘の雑木林を切り拓《ひら》いて造成した。オープンから二、三年は五百円の入園料までとっていたが、さすがにそれはあまりにも図々《ずうずう》しすぎるというもので、町のひとがほとんど利用しなかったため、十年も経たないうちに入園無料の、だからほとんど放ったらかしの広場になってしまった。

いまはもちろん、シーズンオフ。観光バスを十二台いっぺんに停められるのがご自慢の――しかしまだ誰も満杯になったのを見たことがない駐車場にも、イネちゃんが工務店のヒデから借りっぱなしのスカイラインGTしか停まっていない。

珍しいな、と思ったのだ。約束の時間に間に合った例《ため》しのないルーズなイネちゃんが、約束の時間の五分前に到着がモットーのレイコさんより早く来ている。「珍しい」というより、むしろ「不思議」、もっと言うなら「奇妙」……その時点でなにかを勘づいていたら……くどいけれど。

イネちゃんは駐車場のそばのベンチに座っていた。麗央くんも一緒だった。

二人ともよそゆきの格好をしていた。だから、もう、とにかく、その時点で……。

あとになってから、とにかく、いろいろなことに気づくのだ。

「後悔してもしょうがないよ。どっちにしても無駄だったと思うけどな、俺は」

カッちゃんは苦笑交じりに言った。「イネちゃんはもう決めてたんだから、きみがなにを言っても聞かないだろ」と笑みを深め、栗のイガをかたどった陳列棚に絵本を並べていく。栗の実の代わりに本をイガに入れていくのだ。

「しょうがないんだよ、イネちゃんが自分で決めたことなんだから」

わかっている。だからこそ、認めてしまうのが悔しくて、寂しい。

レイコさんは絵本を照らすライトの角度を細かく調整しながら、そっとため息をついた。

十一月半ばのしんしんと冷え込んだ夜、店じまいした『鶴山書房』の中で、カッちゃんと二人きりだった。

明日から始める『秋の夜長の絵本フェア』のディスプレイの手伝いを頼まれた。建前はあくまでもアルバイトで、「こういうのって、やっぱり女の子の感覚が大事だと思うんだ」「そうですね、わたし、絵本って好きだし」とお互いに理屈はつけていても……しかし、そういう話の展開がなによりも好きで、「やったじゃん!」と誰よりも喜んでくれて、「じゃあねえ、その次はねえ……」と頼んでもいないおせっかいな作戦を授けようとするはずのイネちゃんは——。

「それで、イネちゃんからはまだ連絡きてないの?」

「……なんにも。家のほうにも電話してないみたいで、ほんと、おじさんもおばさんも心配しちゃって、このままじゃお正月なんてできない、って言ってるんです」

「落ち着いたら電話するって言ってたんだよな、イネちゃん」

「そうなんですよ。約束したんですよ」

「もう何日になるんだっけ」

「二週間」

「そっか……ちょっと長すぎるかな」

「長いですよお、もう、わたし、困っちゃって」

こっちから連絡することもできない。イネちゃんの携帯電話は解約されていた。レイコさんが「相談」に乗った日――イネちゃんと麗央くんが梅郷を出て行った日に。

イネちゃんの様子は、確かに最初から変だった。少し離れたところで遊ぶ麗央くんを眺めるまなざしが、妙におだやかだった。丘の上から町を見渡して「のんびりした田舎だよねえ」とつぶやく声が、妙にしみじみとしていた。

「だいぶ待ったの？」

レイコさんは訊いた。ベンチには、イネちゃんと麗央くんが二人で食べたお菓子の箱がいくつもあった。ジュースのペットボトルもほとんど空になっている。

「うん、三十分ぐらい」

イネちゃんはさらりと言って、「待ち合わせの時間、間違えちゃった。あー、損した」と笑った。

「で、相談ってなに？」

「うん……まあ、相談っていうより、頼みごとなんだけどね」

「お金貸すのは、やだよ」

軽いジョークのつもりで言うと、イネちゃんは「そんなんじゃないって」と少し強い口調で打ち消した。

そこからしばらく沈黙がつづいた。

小春日和のやわらかい陽射しを浴びて、イネちゃんは気持ちよさそうに伸びをした。

日曜日の梅郷は、ほんとうに静かだ。のんびりしているのを通り越して、時間の流れが止まってしまったような気さえする。これが夏場なら田んぼや畑に出ているひとの姿も見えるところだが、稲刈りが終わり、冬野菜の旬には間があるこの時季は、農作業も一服する。田植えから稲刈りまでの疲れを癒《いや》すように、田んぼは静かに、冬の訪れを待っている。

「ねえ、レイコ」

「うん？」

「いまから三時間ほど、時間くれない？」

「……いいけど」

「空港までドライブしようよ。ひさしぶりに行ってみたくて。麗央も飛行機見たがってるし」

あいまいにうなずくと、イネちゃんは「じゃあ、行こうか」とゆっくり立ち上がった。もう一度伸びをして、あらためて町を眺め渡し、「ほんと、のんびりしてるよね……」とつぶやいてから、麗央くんを呼んだ。

ふるさとに別れを告げていたのだろう。いまになって思う。

約束の時間までの三十分間、イネちゃんはどんな思いで梅郷の町を眺めていたのだろう。連絡が取れたら、それを真っ先に訊いてみたい。勘の鋭いイネちゃんのことだから、「自分で体験してみればいいんじゃない？」と笑うだけだとは思うのだが。

十一月に入ってから、『ウッド・フィールズ』は連日満室の盛況をつづけていた。

珠代さん率いる〈梅郷うたごえクラブ〉の面々がずっと入りびたっているのだ。

ただし、儲けにはならない。

「カラオケ全然入れずに合唱の練習されても、ルームチャージしか稼げんのじゃけん、暖房代のほうが高うつくわ」

タカツグがぶつくさ言っても、珠代さんは「男の子が細かいこと言わんの」と取り合わない。「みんなで集まって練習できる場所は、他にないんじゃけん」

クリスマス・イブに、〈梅郷うたごえクラブ〉は結成以来初めての大イベントを開く。役場や学校はもちろん、婦人会や地区の子ども会、さらには一世代上の老人会まで巻き込んで、町民体育館で『梅郷紅白歌合戦』を開催するのだ。

「みんなで決めたんよ。やっぱり、町には名物がないといけんじゃろう？　他の町にいばれるようなものがないと、子どもらも梅郷に誇りを持てんけん、かわいそうじゃ思わん？」

歌の町・梅郷――。

勝手につくるのだ、名物を。なんの盛り上がりもないのに、とにかくイベントをやってしまえば既成事実になるんだからという、「できちゃった婚」のような町おこしなのだ。

「ほとんど詐欺じゃのう」と隆造さんもあきれ顔で言う。

それでも、珠代さんは譲らない。

「このままじゃったら、ほんまに梅郷は終わってしまうよ。イネちゃんみたいな子が、これからもどんどん出てきたらどげんするん？　生まれ故郷にしっかり根を張って、地に足をつけて生きていくには、まず、ふるさとが元気にならんといけんのよ」

「まあ、それはそうじゃけど……」

あっさり丸め込まれた隆造さんに代わって、レイコさんが言った。

「でも、歌合戦で元気になるわけ？」

「なるなる、あたりまえよ、そんなん」

珠代さんの言葉には、いつだって迷いがない。遠慮がちにどっちつかず、ということもない。すぐに決めつける。根拠もへったくれもない。昔からそうだった。レイコさんもそれはよーく知っているが、三年間の東京暮らしをへて珠代さんと接すると、子どもの頃よりさらにパワーアップしているように思えてならない。

東京では、こんなふうに物事をきっぱりと言いきるオトナには出会えなかった。レイコさん自身、そういうひととは付き合いたくなかった。

だが、いま、思う。珠代さんの確信に満ちたしゃべり方や行動力が、むしょうにうらやましい。そんなひとにすべてを委《ゆだ》ねれば楽になるのかな、という気もする。

ねえ、お母さん、わたしはこれからどうすればいいと思う――？

ずるくて弱い選択だというのは、自分でもよくわかっている。

「それにな」珠代さんはつづけた。「名物のお菓子やら農産物やらお土産物やらをつくるんは、大変じゃろう？」

「『梅郷せんべい』も売れとらんしなあ」とキミ婆が相槌《あいづち》を打ち、「『梅郷焼』の湯呑《ゆのみ》はすぐにヒビが入るんじゃ」と隆造さんも苦々しげにうなずいた。

「な？　そうじゃろ？　なんぼ高いお金をかけてつくっても、売れんかったら意味がないんよ。その点、歌はええんよ。売れるも売れんもないし、なにせ元手が要らんのじゃけん」

それは、まあ、そうなのだ。

「あと、町のひとが歌うことを好きになったら、ウチの店も繁盛するし。ええことずくめじゃと思わん？」

あんがいと、セコい。

しかし、珠代さんが梅郷の将来のことを珠代さんなりに真剣に考えているのは確かで、それをさっそく行動に移しているのも事実で……「言うたら悪いけど、イネちゃんは卑怯《ひきょう》者じゃ思うよ、わたしは」と言いきる珠代さんに、レイコさんはただ黙って目を伏せるだけだった。

空港に向かう車の中で、イネちゃんと麗央くんは歌いどおしだった。麗央くんがテレビで覚えた歌を次々に歌うと、イネちゃんも声を揃えてデュエットする。

「麗央くん、歌が好きだね」

レイコさんが助手席から振り向いて声をかけると、麗央くんは「ぼく、かしゅになるの！」と舌足らずに言って、胸を張る。

「ジャニーズに入れようと思ってるんだ、麗央のこと」とイネちゃんが言った。「この子、わりと運動神経もいいし、けっこうイケそうな気がしない？」

「まあ……ね」

「あと、ドラマの子役でもいいけどね。麗央は派手なタイプだから、公務員で真面目にこつこつ……とか似合わないと思うんだよね。やっぱ、芸能界でしょ」

だが、ジョークの声で笑ったそのあとで、ぽつりと、「歌の好きな子って、寂しい子が多いんだよね」と付け加える。

「そんなことないんじゃない？」

「でも、麗央はそうだよ。だって、友だちとわいわい遊べないんだから、歌うしかないじゃん」

麗央くんの通う梅郷東保育園は、今年いっぱいで閉鎖される。なにしろ園児が五人しかいないのだ。梅郷西保育園と統合されても、合計で二十人足らず。あと何年かすれば、そこも廃園の対象になって、梅郷の町内に保育園はなくなってしまうだろう。

「みんな鶴山の保育園や幼稚園に通わせてるみたいなんだけど、送り迎えも大変だし、なんかね、そこまでするのも悔しいじゃん。梅郷の子が梅郷の保育園に通えないなんて、おかしいよ、そんなの」

「うん……」

「家に帰っても、近所にちっちゃな子はいないでしょ。おじいちゃんとおばあちゃんとわたし……この子、オトナの中でしか遊んでないのよ。で、おじいちゃんもおばあちゃんも、孫のことはやっぱり可愛がるじゃん、甘やかすじゃん、そういうのって良くないと思うんだよね」

どんなに可愛がってもらっていても、年寄りと遊ぶのはつまらない。だから、テレビばかり観る。一人で庭に出て、テレビで覚えた歌を口ずさむ。

「それ見てると、なんか、麗央がかわいそうになっちゃってね……」

沈んだ口調を無理に持ち上げて、「うらやましーだろ、母の悩み」と笑う。「彼氏もいないレイコには、わっかんねーだろうなあ」

イネちゃんが愚痴をこぼしたのって、初めてだったな——。

いまにして、思う。ふるさとを出ていくことをそうやって自分に納得させていたのかもな、という気もする。

空港に着いて、やっとイネちゃんは「相談」を打ち明けた。

「あのね、レイコ、これ、ヒデに返しといてくれる？　車、空港のパーキングに置いとくから……取りに行かせて悪いけど、ごめんね、いままでありがとう、って伝言しといて」

車のキーを渡された。

きょとんとするレイコさんの鼻先に、イネちゃんは航空券を突き出した。

「ってこと」

羽田空港行きのチケットが、二枚。

唖然《あぜん》として声も出ないレイコさんをその場に残し、イネちゃんは麗央くんの手をひいて出発口に向かった。

「ちょっと待ってよ！」

レイコさんはあわてて、二人の前に回り込んだ。

「ねえ、遊びに行くんだよね、東京。すぐにまた帰ってくるんだよね？」

イネちゃんは肩をすくめ、「いつかね」と笑う。

「……おじさんやおばさん、知ってるの？」

「ううん。話すの面倒だし」

「そんな……」

「わたしにもわたしの人生があるの。麗央のこと考えても、あんな田舎にいたらもったいないと思うの。人間にはさあ、いろんな可能性があるわけよ。でも、田舎って、その可能性をすっごく狭めちゃうと思うわけ。ずーっと我慢してたんだけど、やっぱ、もう限界だわ、あそこ。麗央がかわいそうだし、わたしもかわいそうだもん」

一息に言って、また歩きだす。今度はもう、引き留められなかった。

じゃあね、と出発口の手前で振り向いて笑ったときのイネちゃんの笑顔は、悔しくて、寂しくて、悲しいけれど、いままでレイコさんが見たなかでいちばん輝いていた。

2

追い込みに入った受験勉強が、なかなか進まない。問題集を解いていても、参考書をめくっていても、ついイネちゃんのことを考えてしまう。机に頬づえをつき、窓から冬枯れの風景をぼんやり眺めて、ため息をついたり首をかしげたりしているうちに、あっという間に三十分ぐらいたってしまう。

十二月に入ってすぐ、イネちゃんから連絡が来た。

とりあえずウィークリーマンションを年内いっぱい借りて、職探しをしているのだという。「子連れだからキツいけど、まあ、なんとかなるんじゃないかな」──なんとかするだろう、イネちゃんのことだから。

「東京、楽しいよお。やっぱりいいなあ、うん、サイコー」

一人でしゃべって、さっさと電話を切ってしまう、そのテンポからも浮き立った気分は感じられる。

イネちゃんはふるさとを捨てて、東京に戻っていった。それがいいのかどうかはわからないけれど、とにかくイネちゃんは自分の生きる道を自分で決めた。

レイコはどうするの――？

正面から訊《き》かれなくても、イネちゃんの決断が、自然とレイコさんへの問いかけになる。

初志貫徹、五度目の正直で東大に挑むか。東大はあきらめて、東京の、別の大学にするか。山陽市に下宿して、山陽大学に通うか。それとも梅郷から離れず、鶴山で就職するか……。

選択肢はいくつもある。

いくつもあるから――決められない。

受験勉強をしていても、目的地がわからない。ただ問題を解き、年号や英単語を暗記していくだけの勉強に、いったいなんの意味があるんだろう……と、ぼうっと考えているうちに、またもや三十分が過ぎてしまう。

日曜日の午後、店番を交代するために『ウッド・フィールズ』に向かうと、通りに面した看板に〈ただいま満室〉の札がかかっていた。駐車場もほとんど満杯だ。

やれやれ、とため息をついて、レイコさんは店に入る。カウンターにいたタカツグに「お疲れ」と声をかけると、タカツグはうんざりしきった顔で「お姉ちゃん、もう、俺、かなわんよ……」と言った。

〈梅郷うたごえクラブ〉の皆さんは、今日から新曲の練習を始めた。ベートーベンの第九『歓喜の歌』で歌合戦のフィナーレを飾るのだという。

混声四部合唱のパート別に部屋割りして、ひたすら練習、練習、練習……。

「おんなじ曲ばっかり、もう、死ぬほど聴かされるんじゃけん。ほんま、かなわんよ、ぜんぜん勉強できんかった」

ぶつくさ言いながら、カウンターに広げていた参考書やノートを閉じる。レイコさんは壁に貼られた歌合戦のポスターをぼんやり見つめ、ため息交じりに言った。

「タカツグ……山陽大、やっぱり受けるの？」

「うん、まあ、べつにどっちでもええけど、いちおう受けるだけは」

「落ちたらどうする？」

「そしたら、もう、この店の店長さんやるよ。浪人してまで勉強しとうないけん」

レイコさんはポスターを見つめたまま、そう言うと思った、と苦笑した。参加者募集、町外の参加者大歓迎……イネちゃんがいたら、絶対にエントリーしただろうな、と思う。

タカツグと入れ替わりにカウンターの中に入った。いつもならすぐに耳栓をして受験勉強にとりかかるところだが、今日はそんな気にもなれず、すべての部屋から漏れてくる『歓喜の歌』のメロディーに耳をひたした。

「そしたら、俺、帰るけん」

「うん……」

「もし歌合戦の申し込みの電話がかかってきたら、そこの名簿に名前と住所と電話番号書いといて」

「わかった」

エントリー名簿には、すでに三十組近い参加者の名前があった。梅郷の町内はもちろん、鶴山市からの参加者も多い。意外と盛り上がりそうだ。イネちゃんの言うとおり、寂しいひとはみんな歌が好きだから、なのだろうか。

5号室のドアが開いて、汗びっしょりの珠代さんが外に出てきた。

「タカツグ、もう帰ったん？」

「うん、さっき」

「そっかあ、失敗したなあ。買い物頼みたかったんやけど」

「買い物って？」

「湿布薬、買うてきてほしかったんよ。なんか、歌いすぎで腰が痛うてなあ……」

そう言って、腰を軽く叩《たた》く。腰というより脇腹の後ろだった。

「まあええわ、帰りに買うとくけん」と言って、珠代さんは部屋に戻る。

その数分後、悲鳴とともに、5号室のドアが再び、勢いよく開いた。

「レイちゃん、救急車！　救急車！」

橋本のおばちゃんが叫ぶ。「珠代さんが倒れたんよ！」


珠代さんは腎臓《じんぞう》結石だった。かなり大きくなっていて、腎臓が炎症を起こしているのだという。

とりあえず炎症を抑えてから、レーザー手術で石を砕き、体外に排出する。鶴山市民病院の医師は「腫《は》れが完全にひくには一週間ほどかかるけん、手術は再来週じゃな」と言った。その口調や表情から察すると、命に別状はないし、病気としても決して重いものではないし、手術も簡単にすみそうだった。

病院まで付き添ったレイコさんや会社を早退《はやび》けして駆けつけた隆造さんは、ほっと息をついたが、当の珠代さんは暗く沈んだ顔でベッドに横たわったまま、声をかけても返事もしない。

ショックだったのだ。「うちは体がじょうぶなことだけが取り柄じゃけん」が口癖で、風邪で寝込むことさえ何年かに一度だった珠代さんの、大げさにいうならアイデンティティが、ぽきり、と折れてしまった。

「レイちゃん、お母ちゃんはもうイケんかもしれんなあ……なんか、もう家に帰れんような気がするよ、ほんま」

「なに言ってんの。腎臓結石なんて、ぜんぜんたいしたことないじゃない。すぐ自分を悲劇のヒロインにしちゃうんだからさあ」

あきれて笑っても、珠代さんの表情は晴れない。連絡を受けた達爺《じい》とキミ婆、そしてタカツグが病院に入ってくると、「どないしたん、みんな揃うて。ご臨終みたいやなあ」とひねくれたジョークを飛ばし、そのジョークに自分自身が落ち込んでしまうのだから、どうにもならない。

「レイちゃん、お母ちゃんに『もしも』のことがあったら、みんなのこと、お願いなあ。おばあちゃんも歳じゃし、おじいちゃんもお父ちゃんもタカツグも、家のことはなーんもできんのじゃけん」

痛み止めの薬がおかしな具合に効いてしまったのだろうか。しゃべればしゃべるほど、頭の中で勝手につくりあげた悲しみのドラマにはまってしまう。

「まあ……神さまが決めた寿命じゃったら、これもしょうがないんかなあ……でも、レイちゃんの花嫁姿と、タカツグのお嫁さんは見てみたかったなあ……」

しまいには涙ぐんでしまう珠代さんなのだった。

森原家にとって珠代さんの存在がいかに大きかったか、突然の入院で家族全員それを思い知らされた。

まず、達爺と隆造さんは完全に戦力外。キミ婆のフォローがある達爺はまだしも、隆造さんは靴下がタンスの何番目の引き出しに入っているかさえ知らないのだ。ワイシャツにアイロンもあてられなければ、読み終えた新聞を畳んでおこうという発想もない。それでいて、食後のお茶がぬるいだの風呂《ふろ》にバスタオルが出ていなかっただのと文句の言いどおしで……「役立たず」の段階を通り越して、「厄介者」になってしまった。

レイコさんもさすがにアタマに来て、言ってもどうせわからない隆造さんにではなく、タカツグにやつあたりをした。

「あんたはお父さんみたいになっちゃダメだからね。ちゃんと家事もできないと、これからの時代、通用しないよ」

「俺、結婚しても共働きがええなあ」

「そうそう、そうなのよ、社会で働くことに男も女もないんだから」

「二人で稼いだほうが俺の責任も軽うなるけん、楽でええわ」

「……男のくせに情けないこと言わないでよ」

「だって男も女も関係ない言うたん、お姉ちゃんじゃろ」

「……それはそうだけど」

「明日《あした》から味噌汁《みそしる》、俺がつくってみるけん。お姉ちゃんの味噌汁、味が薄いんよ」

「だって、塩分減らさなきゃ。もともとウチの味つけがしょっぱすぎるのよ」

「いや、そういう問題と違うて……お姉ちゃん、勉強が忙しいんじゃけん……」

自分だって山陽大の受験勉強があるくせに、と言い返そうとしたら、タカツグは少し真剣な顔でつづけた。

「あのな、お姉ちゃん。俺のことはええけど、おばあちゃんには、あんまり無理はさせんほうがええ思うよ」

珠代さんが入院して以来、キミ婆は「留守中のことを珠代さんに心配させたら、ばあさんの名折れじゃけん」と畑仕事に励み、膝《ひざ》にサポーターをあてて買い物に出かけ、風呂掃除までせっせとこなす。レイコさんが手伝おうとしても、「あんたはええけん、勉強しんさい。追い込みの時期で足を引っ張ったら、珠代さんにも申し訳が立たんのじゃけん」……。

そんなキミ婆の体を案じ、レイコさんの受験を心配するタカツグ自身、毎日『ウッド・フィールズ』の店番をしている。珠代さんがいなくても店の営業をつづけるのが、タカツグなりの親孝行というか、男の意地というか、もしかしたら、もう受験のことは半ばあきらめているのかもしれない。

店を開けていれば、当然、昼間の店番担当の珠代さんのピンチヒッターも必要になる。タカツグに高校を休ませるわけにはいかないので、レイコさんが出かけるしかないのだが、ここで達爺が「わしが行くけん、おまえは勉強しとれ」とたちはだかる。家族全員、珠代さんの留守を必死にがんばって守ろうとしている。レイコさんの受験勉強をバックアップしてくれている。家の中では「厄介者」の隆造さんだって、わが家の家計を一人で支える大黒柱なのだ。

家族って、やっぱりいいなあ、と思う。だが、その感慨が自分自身に向けられると、クールで意地悪な自分が冷たく言い放つ。

で、あんたは——？

あんたはこの家で、どんな役目を果たしてるわけ——？

意地悪な自分は、もっとキツいことも言う。

この家に、あんたの居場所はあるの——？

なにも答えられない。

タカツグの危惧《きぐ》は当たってしまった。

珠代さんが入院して一週間、気の張った最初の数日が過ぎて疲れが出てきたせいだろうか、取り込んだ洗濯物を両手に抱えて歩いていたキミ婆が、転んだ。廊下から和室に入るわずかな段差にけつまずいてしまったのだ。

幸い骨には異状がなかったが、右足首の捻挫《ねんざ》で全治二週間との診断で、当然、家事からはリタイア。

隆造さんに背負われて病院から帰ってきたキミ婆は、レイコさんを見ると開口一番、

「ごめんなあ、レイちゃん、勉強が大変なときにこげなことになってしもうて……」

と涙声で詫《わ》びた。

そんなことない、そんなことない……。

レイコさんは深くうつむいて、かぶりを振った。足元に、涙がぽとりと落ちた。悲しみとは微妙に違う、もっと苦い思いの溶け込んだ涙だった。

一方、珠代さんの結石の治療は順調だった。着替えを持ってきたレイコさんがドアの前に立つと、病室から、ベートーベンの第九『歓喜の歌』のハミングが聞こえてくるほどだ。

入院してから十二日、レーザー手術も三日前に無事に終わって、あと三、四日で退院できる見込みだった。顔色もいいし、入院前より頬がふっくらとしている。

「入院して太るのって、お母さんぐらいのものだよ」

「そげなこと言うたって、ごはん美味《おい》しいんじゃもん。ひとのつくってくれたごはん

は、なんでも美味しいんよ」

入院直後の落ち込みはすっかり消えて、いまはもう骨休めと決め込んでいるようだ。

「おばあちゃんの具合どげなん？　家のこと、みんなで手分けしてやっとるん？」

「うん、ゆうべはおじいちゃんとお父さんが晩ごはんつくったんだよ」

「ほんま？」

「肉じゃがと湯豆腐とサラダだったんだけど、もう大変だったんだから。砂糖はどこだとかお玉がないとか」

エプロン姿の達爺《じい》と隆造さんが流し台の前に並んでいる後ろ姿は、ほんとうに写真に撮って残しておきたいほどだった。

「レイちゃんは手伝わんかったん？」

「手伝うって言ったよ。でも、模試の前だから、おまえは勉強してろ、って……」

花柄のエプロンをつけた隆造さんに、菜箸《さいばし》を振り回しながら言われたのだ。その隣で、ノミで木を削るみたいにジャガイモの皮を剝《む》いていた達爺も、「ここは、わしらに、任せ、とけ」と力んで言って、包丁の刃先で指を切ってしまったのだった。

「おじいちゃんが皮を剝いたジャガイモ、元の半分の大きさになっちゃってね、お父さんも肉じゃがにミリンをどんどん入れちゃうから、なんか、すごい味になっちゃって……」

笑いながら言った。あきれきった口調を、わざとつくった。そうでなかったら、ゆうべ自分の部屋にこもって泣いてしまったみたいに、また目に涙が浮かんできそうだった。

「おばあちゃんは一人でトイレ行けるん？」

「うん、それはなんとか……。でも、やっぱり痛そうだけどね」

捻挫した右足首よりも、むしろ左の膝が痛い、と言っている。右足をかばって無理なバランスで歩いているせいだろう。

「足のケガは怖いけん」

珠代さんはぽつりと言った。「この病院にも、転んで膝を骨折して入院しとるお年寄り、ぎょうさんおるよ」とつづけ、「そのまま寝たきりになってしもうたひとも」と付け加えた。

「おばあちゃんも、それ、言ってた。だから、ちっとも横になってないの」

壁に抱きつくような格好で、右足をひきずりながら歩くキミ婆の姿を見ていると、いたたまれなくなる。だが、つい「おばあちゃん、危ないよ、休んでてよ」と声をかけてしまうと、キミ婆は、おっかない顔をしてきっぱりと言い返す。

「うちが寝たきりになって、いちばん困るんは、誰な？　珠代さんじゃ。珠代さんが一人でがんばって、また倒れたら、誰がいちばん困るんな。レイちゃん、あんたじゃろうが」

キミ婆は強いひとだ、と思う。いつもなにかの責任を背負って、「森原の家のために」「家族のために」「先祖代々の田んぼを守るために」……気を張って生きている。

珠代さんだってそうだ。達爺や隆造さんだってそうだし、ぼーっとしているタカツグでさえ、ふだんは珠代さんがぱらぱらとめくるだけの『月刊カラオケボックス経営』を、ゆうべはトイレでじっくり読んでいた。

「あ、そうそう、昨日、イネちゃんのお母さんが見舞いに来てくれたんよ。なんか、イネちゃん、家に電話かけてきたらしいで。元気でやりよるけん心配せんといて、いうて」

「どこに住んでるの、いま」

「寮に仮住まいじゃけど、近いうちにアパート借りる言うとった。麗央くんの保育園も決めてやらんといけんから、いうて」

「仕事は？」

「さあ……そこまでは言うとらんかった」

高校中退、子連れのイネちゃんを採用してくれる職場が、そうたくさんあるとは思えない。梅郷に帰ってくる前の、「夜」の世界に戻ってしまったのだろうか。

それでも、イネちゃんは「麗央くんのために」東京で暮らすことを決めたのだ。故郷を出ていく決断が正しかったのかどうかは一生かかっても結論が出ないのだとしても、ただひとつ、「麗央くんのために」選んだ道を、イネちゃんは決して後悔はしないはずだ。

黙り込んだレイコさんの胸の内に気づいているのかいないのか、珠代さんは苦笑交じりに言った。

「やっぱり、東京がええんかなあ。うちらは梅郷のほうが自然は豊かじゃし、人情はあるし、ずうっと幸せじゃ思うけど……もう、そういう時代とは違うんかもしれんなあ……」

「ねえ、お母さんは、若い頃に都会に出たいとは一度も思わなかった？」

「どうじゃったかなあ……東京やら大阪やら、テレビの中の世界じゃ思うとったけんねえ」

そうだよね、とレイコさんはうなずいた。テレビの中の世界だったのだ、もともと東京は。

珠代さんは枕元の時計に目をやって、「もう帰りんさい」と言った。「はよ帰って勉強せんと。試験あさってなんじゃろ？」

「……うん」

「本番前の最後の模試なんじゃけん、ここでええ成績とってくれんと」

もう一度うなずいたレイコさんは、帰り支度を整えながら、珠代さんとは目を合わせずに言った。

「山陽大にしようかなあ、第一志望。東大はやっぱり難しそうだし、東京まで出ていくこともないかなあ、って」

珠代さんは黙っていた。レイコさんも、それ以上はなにも言わなかった。

「じゃあ、明日《あした》はタカツグが学校の帰りに寄るから」

病室を出るときも、珠代さんは黙ったままだった。


最初はまっすぐ家に帰るつもりだったが、足が勝手に『鶴山書房』に向いた。

「おう、どげんした」

カッちゃんは店先でクリスマスツリーの飾り付けをしているところだった。

「お母さんのお見舞いの帰りなんだけど」

「余裕あるなあ、模試あさってだろ？」

「……まあね」

「暇なんだったら、手伝うか？　これ、適当なところに付けてくれ」

金色の折り紙でつくった星を差し出して、レイコさんが受け取ると、「童心に返ると、けっこう元気になるぞ」と笑う。言葉の微妙な沈み方を聞き逃すほど鈍感ではなく、よけいなことをいちいち訊《き》いてくるほどおせっかいでもない。そこが、いい。

しばらく黙って、星や、綿の雪をツリーに飾り付けた。サンタのオーナメントを吊《つる》し、トナカイのソリをそばに置いた。

ツリーを挟んで、カッちゃんと向き合う形になった。

「カッちゃん……わたし、東大受けるのやめようと思ってる」

「なんで？」

「山陽だったら、近いじゃない、梅郷にも。ウチでなにかあったらすぐに帰れるし、がんばれば家から通えないこともないし」

自分の言葉を自分で聞いて、うん、そうだよ、そうなんだよ、と納得した。

「そもそもさー、よく考えたら、東大に行く理由、はっきりしないんだよね。たんに偏差値のランクがいちばん高くて、去年までずーっとがんばってきたわけだから、いまさら下げられないからって、なんかもう、それってサイテーの発想だよね。カッちゃんみたいに、東大で最高の勉強して、それを鶴山の発展のために役立てようとか、そこまで高級なこと考えてないもん、わたし」

一息に言った。途中でさえぎられてしまうと、もう二度と言えなくなりそうな言葉ばかりだった。

カッちゃんは少し長い間をおいて、「山陽大にするんか」と言った。

「うん、法学部」

「なんのために？」

「だから……いろいろ考えて、家のこととか、お金のこととか……お母さんが入院して、やっぱりわかったの、自分のしなきゃいけないこと。わがままだけ言ってるわけにはいかないのよ。カッコつけてるみたいだけど、家族のために考えなきゃいけないことって、あると思わない？」

カッちゃんは「なるほどな」と言った。ツリーが邪魔でしぐさまでは見えなかったが、うなずいてくれたんだろう、と思う。

だが、そのあと、つぶやくような声がつづいた。

「家族のせいにするわけか、なるほど」

頬がカッと熱くなった。胸がどきどきして、背中がこわばって、顎《あご》が小さく震えて……気がつくと、丸太小屋のオーナメントを手に持ったまま、駆け出していた。

カッちゃんは追いかけてこなかった。

教えてよ。

走りながら、思った。

「家族のため」と「家族のせい」の違いを、誰か教えてよ……。

3

受験前の最後の全国模試は、いつものように山陽市の予備校でおこなわれた。

JRの各駅停車に乗って、タカツグと二人で山陽まで出た。列車の中で、タカツグは参考書ではなく喫茶店の業界誌を読んでいた。『ウッド・フィールズ』に新しいメニューを増やしてみたいのだという。

今日の模試も、ぎりぎりまで「やっぱり受けるのやめようかなあ」と迷っていた。

「どうせ山陽大は現役では無理そうじゃけん、受けてもしょうがないんよなあ……」

結局受けることにしたのも、模試のあとで山陽市内のカラオケボックスを何軒か回って、メニューや内装を偵察するためだった。

珠代さんの入院騒ぎが、タカツグに店長としての自覚を芽ばえさせた。「成績が伸びないから、逃げ道探してるんじゃないの?」とレイコさんがからかって笑うと、本気で怒りだす。間違いなく、タカツグは「店のせい」ではなく「店のため」に、将来の進路を決めたのだ。

「お姉ちゃん、ほんまに東大やめるんか?」

「うん……第一志望は山陽大の法学部」

「ええんか？　せっかくいままでがんばったのに、もったいない気がせん？」

「しないってば。わたしが自分で決めたんだから」

「でも、このまえの模試は合格圏内に入っとったろう。受けてみればええのに」

「よけいなお世話」

タカツグから離れたボックス席に移った。列車の揺れに合わせてぼんやりと窓の外を見ていたら、クールで意地悪な自分が胸の奥から顔を覗《のぞ》かせていることに気づいた。まなざしは確かにこっちに向いているのに、なにも言ってくれない。冷ややかな表情でもない。ただ黙って、じっとレイコさんを見つめるだけだった。珠代さんや、カッちゃんと同じように。

試験会場に着いて部屋割りを確かめると、レイコさんとタカツグは同じ大教室だった。秋以来、二人で模試を受けたことは何度かあったが、同じ部屋になるのは初めてだ。最後の模試にふさわしいと言えば言えるのかもしれない。

「お姉ちゃん、俺のテスト、カンニングするなよ」と軽口を叩《たた》いて自分の席についたタカツグは、最後列の席に座るレイコさんを振り向くと、ちょっとまぶしそうな顔になって、ふふっと笑った。

その笑顔の意味がレイコさんにわかったのは、一時間目の英語の試験が始まって間もない頃だった。

「すみませーん、やめちゃいまーす！」

教室にいきなり大声が響き渡った。

驚いて顔を上げたレイコさんは、うそっ、と喉《のど》の奥で叫んだ。

大声の主はタカツグだった。席を立って教壇に駆けのぼったところだった。あわてて止めようとする監督官の手を振り払って、教壇の真ん中に立ち、最後列のレイコさんを見つめる。

一瞬の静寂――そして、絶叫。

「姉ちゃん！　東大受けてくれ！　俺が店を継ぐけん、父ちゃんや母ちゃんやじいちゃんやばあちゃんのことは、俺がおるけん、なーんも心配せんでええんじゃ！」

監督官が三人がかりでタカツグを羽交い締めにして、外に連れだした。

だが、ドアが閉まる前に、タカツグは最後のメッセージを叫んだ。

「姉ちゃん！　自分の人生は自分で決めんといけんど！」

教室のあちこちから忍び笑いの声が漏れた。迷惑なバカじゃのう、と怒った声も聞こえる。レイコさんはその声の主をにらみつけてから、マークシートの答案用紙に目を落とした。第一志望・山陽大学法学部――鉛筆で大学のコード番号がマークしてある。

目をつぶる。祈りを捧《ささ》げるように、両手を組み、頭《こうべ》を垂れて、何度か深呼吸したあとで目を開ける。

机の上の消しゴムを、手に取った。

山から吹き下ろす風に乗って、白く小さな、綿毛のような雪が、梅郷に舞い降りてきた。初雪だ。今年もまた寒い冬が始まる。

「これで白菜が美味《おい》しゅうなるなあ……」

ひさしぶりにマイカーのハンドルを握った珠代さんは、雪に気づくとうれしそうに言った。土の中の霜と空からの雪で、冬野菜は身がしまって味わいが深まる。「ドカ雪になってしもうたら別じゃけど、これくらいの雪がときどき降ってくれたら、そりゃあもう、生で食べても美味しい白菜になるんじゃけん」

ワイパーを使うほどの雪ではない。フロントガラスに当たった雪が、じゅっと融《と》けて、すーっと水滴になって落ちていくのを、助手席のレイコさんは見るともなく見ながら、今年ももうじき終わりなんだなあ、と心の中でつぶやいた。

春先に帰郷して、そろそろ季節が一巡する。黄砂、菜種梅雨、桜、田植え、梅雨、夏の夕立に台風、稲刈り、紅葉……そして初霜に初雪。高校を卒業するまで十八年間、毎年同じように繰り返された自然の営みなのに、風景の移り変わりのひとつずつをちゃんと確かめた年は、いままでになかったような気がする。

『ウッド・フィールズ』まではあと少し。珠代さんはハンドバッグからのど飴《あめ》を取り出した。歌う気だ。入院中のブランクを取り戻すべく、歌いまくるつもりなのだろう。レイコさんは「あんまり無理しないでよ、まだ体も本調子じゃないんだから」と釘《くぎ》を刺したが、マイクを持ってしまったら止めることはできないだろう。なにしろ、店には家族全員が顔をそろえている。考えてみれば、森原家一同で『ウッド・フィールズ』に出かけるのは、開店以来初めてのことで……もしかしたら、これが最後になるのかもしれない。

「レイちゃん、お母ちゃんの心配はええけど、あんたのほうはどうなん？　勉強は進んどるん？」

「うん……だいじょうぶ」

「東大に決めたんじゃったら、いままでみたいにのんびりしとる余裕はないじゃろ」

「わかってるってば」

タカツグが途中退場した全国模試から三日、密度や手応《てごた》えでいうなら十日分に価する勉強をこなした。いままでのもやもやが吹き飛んだせいか、勉強したことが頭の中にぐんぐん入っていくのが、実感としてわかる。

「お母ちゃんなあ、入院中にいろいろ考えたんよ……」

やりたいことを見つけろ、と若いひとに言うのは無理だ、と気づいたのだという。「やりたいことがあるから大学に行く」というのは理想的でも、そうでなければならない、というものでもない。「やりたいことを探しに大学に行く」でもかまわないのだし、「やりたいこと」の候補の数は、たぶん、山陽市より東京のほうがたくさんあるだろう。

「ああいうのは先に決めるんじゃのうて、一所懸命に生きてきて、あとから振り返って『ああ、自分はこれがやりたかったんじゃなあ』と気づくものかもしれん……」

じゃから、と珠代さんはつづけた。

「レイちゃんのやりたいこと、東京に行って、ゆっくり探しんさい」

胸を詰まらせたレイコさんが返事の言葉を決めかねているうちに、珠代さんはのど飴を口に含んで「あー、あー、あーっ」と発声練習を始めた。

やれやれ、とレイコさんが苦笑すると、ひときわ大きな雪がフロントガラスに当たって、融けて、水滴になって伝い落ちた。

『ウッド・フィールズ』は、本日貸し切り。いちばん広い5号室を六人でゆったり使って、森原家水入らずの珠代さん退院祝いが始まった。

カラオケは生まれて初めてだという達爺《じい》の春日八郎は、みんなが唖然《あぜん》とするぐらい上手《うま》かった。隆造さんはサザンを歌い、珠代さんはユーミンを歌い、タカツグはいまどきのヒット曲を歌い、レイコさんは中島みゆきを歌う。再びマイクを握った達爺は、今度は石原裕次郎をシブく歌い、隆造さんは負けじと歌本を開いて、一九七〇年代のフォークをチェックする。

だが、キミ婆は歌本を膝《ひざ》に載せたまま、マイクを持とうとしない。珠代さんがリモコンを手に「おばあちゃん、なに歌うか決めました？」と声をかけても、「まだ考えとるところじゃ」とそっけなく答えて、気のないしぐさで歌本のページをぱらぱらとめくる。料理にもほとんど箸《はし》をつけていないし、キミ婆用に達爺が用意した梅酒も、乾杯のときに一口啜《すす》ったきりだった。

機嫌が悪い。じつを言えば、この二、三日ずっとそうなのだ。

タカツグが歌っているとき、音楽のやかましさに紛らせて、珠代さんがレイコさんの耳元で「おばあちゃん、どげんしたん」と訊いた。

レイコさんも珠代さんの耳に声を投げ込むように、「足の調子が悪いの！」と答えた。

捻挫《ねんざ》した右の足首の治りが悪い。ゆうべ風呂上《ふろあ》がりに見てみると、紫色に腫《は》れてしまっていた。医者が「しばらくは安静にしとりんさい」と言ったのを聞かずに、一人で勝手に歩行練習を始めたせいだ。右足をかばった不自然な姿勢で歩いているうちに、腰も痛めてしまった。

ステージでは、お酒に酔った達爺が、すっかり陽気になって、一人で歌っている。

新しい曲のイントロが流れた。今度もまた、達爺がリクエストした藤山一郎の『青い山脈』だった。

「こりゃあ、わしとばあさんの思い出の曲じゃけん……鶴山のお城でデートしたときに、ばあさんと二人で歌うた、思い出の曲でございます……」

イントロに乗せて、達爺は玉置宏《たまおきひろし》ばりの前振りをする。隆造さんがすかさず「いようっ！　待ってました！」と合いの手を入れ、タカツグも、ひょうひょうっ、と声をかける。

達爺が、目を閉じて歌いはじめた、そのとき――。

キィィイイィィィイイイン、とマイクのハウリング音が部屋に響き渡った。

キミ婆が、テーブルにあったマイクをむんずと摑《つか》んだのだ。

達爺の歌が止まる。家族全員、いっせいにキミ婆を振り向いた。

「あんたら！」

エコー付きの一喝に、タカツグはあわてて伴奏を止め、達爺もマイクを口から離して「気を付け」の姿勢になった。

キミ婆は家族を見まわして、「へらへら笑うとらんで、よう嚙《か》みしめとけ」と言った。

「噛みしめるって……なにを?」とタカツグが訊いた。のんきな口調が気に入らなかったのか、キミ婆は険しい顔でタカツグをにらみつけて、つづける。

「じいさんがおって、ばあさんがおる。お父ちゃんもお母ちゃんも元気で、子どもも一つ屋根の下で、おんなじおまんまを食うて、おんなじ風呂に入って……その幸せを、しっかり噛みしめんさい。家族みんなが顔を揃えとる幸せを、忘れたらいけん。あたりまえのことでも、それがほんまは、ものすごう幸せなことなんじゃいうんを……あんたら、忘れたらいけん、絶対に忘れたらいけん……」

キミ婆は、父親とお兄さん二人を戦争で亡くした。達爺も母親を若いうちに亡くして、きょうだいみんなで力を合わせて畑仕事をやったんだと、ときどき酔って涙ぐむ。レイコさん自身、振り返ってみれば、梅郷で過ごした一年足らずの間に、家族がばらばらになってしまったひとたちを何人も見てきた。イネちゃんの両親も、今年は寂しい年の瀬を迎えているはずだ。そして、来年の春には、森原家からも家族が一人、減ってしまう……。

急にしょんぼりしてしまった一同を、キミ婆はもう一度見まわして、マイクをかまえ直した。

「ばあちゃんも、一曲、歌うけん」

「おばあちゃんが？」

思わず聞き返したレイコさんをにらみ、「何番ですか？」とあわててリモコンを操作しようとする珠代さんにかまわず、キミ婆は伴奏なしで歌いだした。

兎《うさぎ》追いし　かの山。

小鮒《こぶな》釣りし　かの川。

言葉をたどって初めて、『故郷《ふるさと》』だとわかった。メロディーがほとんどない。歌い慣れていないせいで声も細く、揺れて、かすれて……まるでご詠歌を歌っているみたいだ。

夢は今もめぐりて。

忘れがたき故郷《ふるさと》。

レイコさんは目をつぶる。最初は手拍子を打っていた珠代さんや隆造さんも、しんみりとうなだれる。達爺はステージの上からじっと、いとおしそうに、半世紀以上連れ添ったキミ婆を見つめ、おばあちゃん子のタカツグは目を真っ赤にしていた。

一番だけ歌うと、キミ婆は、ふーう、と息をついた。

「歌はええなあ……昔の農家の嫁は、歌を歌うような余裕はなかった……働いて働いて働き詰めで米をつくって、子どもを育てて、家のことをやって……いまはもう、みんな歌が歌えるようになったんじゃなあ、ええ時代になったなあ……」

マイクを静かに置く。家族全員の拍手喝采《かっさい》に包まれて、キミ婆は、この日初めて、はにかんだように笑った。

4

〈前略　礼子さま。お元気ですか。イネちゃんだよ。

就職が決まりました。介護のヘルパーさんです。とりあえず見習いで始めて、介護士の資格を取ろうと思ってます。お給料はあまり高くないけど、お年寄りの喜ぶ顔を見てると、なんか、こっちもハッピーになります。梅郷に帰って半年以上暮らしたおかげで、いろんなことに対してちょっと優しくなった気がします。オトナになったんだね、ってか。

ゆうべ、家から電話が来ました。お歳暮でハムを送ってあげたお礼の電話です。ワタシから貰《もら》った初めてのお歳暮ってことで、感動されました。家出をしてから苦労のかけどおしだった両親に、これからはちょっとずつ親孝行をしてあげようかな、って思ってます。ほんとうの親孝行は梅郷で一緒に暮らすことかもしれないけど、まあ、それはそれってことで。

アパートも決まりました。麗央は梅郷生活でちょっと田舎の子っぽくなったけど、

そのぶんたくましくなったようで、新しい保育園でもきっと元気にやってくれると思います。

お母さんが電話で『梅郷紅白歌合戦』のことを教えてくれたので、年末はそれに合わせて帰ります。麗央と二人でエントリーするんで、よろしく!〉

『歌合戦』に向けての日々は、流れるように過ぎていった。

レイコさんはひたすら受験勉強に励み、〈梅郷うたごえクラブ〉を率いる珠代さんは歌合戦のトリをつとめる『歓喜の歌』の大合唱の最後の仕上げに余念がない。

達爺《じい》は、初体験のカラオケがよほど楽しかったのだろう、畑に向から軽トラックの車中で歌を歌うようになった。鼻歌ひとつ口ずさんだことのなかったいままでが嘘のような変わりようだった。

隆造さんも大いに変わった。こちらは料理。花柄エプロンで台所に立ったことが、いままで眠っていた包丁ゴコロに火を点《つ》けたのか、歌合戦の準備で珠代さんの帰りが遅い日の夕食を自ら志願して担当するようになった。「料理はダシが命じゃけん」と、わざわざカツオ節削り器も買ってきて、この調子なら、隆造さんが週末の『ウッド・フィールズ』の厨房《ちゅうぼう》を取り仕切る日も遠くないだろう。

タカツグも張り切っている。あの日のキミ婆の『故郷《ふるさと》』の熱唱が、タカツグの店長の自覚をさらに深めた。「お年寄りに優しいカラオケボックス」をキャッチフレーズに、歌本をめくるときの虫眼鏡を各部屋に常備し、唱歌のページは拡大コピーして別冊にした。ドリンクのメニューにコブ茶を加え、入れ歯のにおいを気にして歌えないひとのためには、口臭予防のスプレーを無料サービスすることにした。

森原家ぜんたいが、新しい年に向かって歩きだしている。

そんななか、キミ婆だけが、まだ落ち込んでいる。『ウッド・フィールズ』で家族を一喝したときには、これですっきりしただろうとみんなが思っていたのだが、事態はその程度で好転するほど甘いものではなかった。

右足首の捻挫《ねんざ》は、快方に向かうどころか、かえって悪化してしまった。腰の筋もかなり痛めているし、左膝《ひざ》もよくない。とにかく絶対安静で、医師に「このままじゃと杖《つえ》なしでは歩けんようになりますよ」と警告もされている。

だが、四十前の医師は、キミ婆に言わせれば「ひよっこ」にすぎない。「そげな若造に年寄りの体がわかるわけなかろうが。自分が歳をとって初めて、年寄りいうのはこげなもんか、いうてわかるんじゃ」——めちゃくちゃな理屈を自信たっぷりに言って、病院から帰ってくるなり湿布をバリバリッと剝《は》がしてしまった。

歩行練習も、やめる気などまったくない。「なにが絶対安静じゃ。いっぺん寝込んでしもうたら、もう起きれんようになってしまうわい」と言い張って、よろよろと、ふらふらと、右足をひきずりながら家のまわりを歩く。

杖をつく右手にはマメができていた。力を込めて杖をつくぶん肘《ひじ》に負担がかかるのだろう、サポーターをつけて、その下に湿布も貼って、やがて湿布は右肩や首筋も覆うようになった。歩き方はぎごちなく、いかにも苦しそうだった。捻挫したばかりの頃より、むしろいまのほうがキツそうに見える。

二階の部屋で勉強をしているレイコさんは窓からキミ婆の姿が見えると、いたたまれなくなってしまう。「鬼気迫る」という言葉を初めて実感した。キミ婆の小さな背中から、執念がたちのぼっているのがわかる。だが、その執念が、あせりに変わっているのも、わかる。いまは畑仕事が忙しい時季でもなく、気候が良くなるまでゆったりかまえて、せめて腫《は》れがひいてから歩行練習を始めたって、じゅうぶん間に合うはずなのに……。

歌合戦の前日も、キミ婆は朝食後の一服もそこそこに外に出た。

寒い朝だった。明け方にぐんと冷え込んで、水道が凍ってしまったほど。

二階の窓から見ると、家のまわりの田んぼは霜で真っ白になっていた。庭の黒い土がところどころ光っているのは、霜柱ができているせいだろう。凍っているところもあるかもしれない。「おばあちゃん、転ばんように気をつけてくださいよお」と台所から珠代さんの声が聞こえ、ほんとだよ、マジに危ないよ、とレイコさんもうなずいた、その瞬間——キミ婆は杖をつきそこねて、転んだ。

「おばあちゃん！」

レイコさんは悲鳴をあげて階段を駆け下りた。寒さも忘れてサンダル履きで庭に出ると、キミ婆はまだ地面にうずくまっていた。

「おばあちゃん、だいじょうぶ？」

駆け寄って抱え起こそうとしたら、キミ婆はその手を振り払って、うめきながら杖にすがりつく。ようやく上体を起こしても、足はモンペの膝が地面についたままだった。

「おばあちゃん……」

涙声になった。「無理したら、またケガしちゃうよ……」と嗚咽《おえつ》交じりにつづけた。

キミ婆は歯をくいしばって、立ち上がる。空気は身を切るほど冷たいのに、額から汗が一筋流れ落ちた。

「おばあちゃん、もうやめてよ……わたし、こんなのじゃ心配で、東京にもどこにも行けなくなっちゃうじゃない……」

ほら家に入ろうよ、と肩を両手で包むように抱こうとしたら、目の前が一瞬暗くなり、まぶしい光がはじけた。

平手打ちをくらった。礼儀作法には口うるさくても、決して手をあげなかったキミ婆が、初めて、孫娘の頬をぶった。

痛みを感じる前に、呆然《ぼうぜん》とした。

「生意気なことを言いなさんな」

ぴしゃりと言われた言葉にも、なにも応《こた》えられなかった。

キミ婆は、また歩きだす。一歩、二歩……三歩目で体がふらついたが、なんとか杖で支えて、さらに四歩、五歩、六歩……。

七歩目で立ち止まる。ふーう、と息をついて、レイコさんのほうを振り向かずに言った。

「あんたが東京に行く日には、ばあちゃん、駅まで見送りに行ってあげるけえ。いまから歩く練習しとかんと間に合わんじゃろうが」

そのまま、また一歩、さらにもう一歩、キミ婆は前へ進む。レイコさんは、ただ黙って、キミ婆の背中を見つめるだけだった。


『梅郷紅白歌合戦』は、盛況のうちに終盤戦に入った。

麗央くんと二人でステージに立ったイネちゃんが、デュエットで『別れても好きな人』を「別れても　好きな梅郷」と替え歌にして歌うと、会場は笑い声と喝采《かっさい》に包まれ、紙テープも舞った。

ステージから客席に戻ったイネちゃんもすっかりご満悦で、レイコさんに「やっぱり梅郷はいいよねえ」と言い、「たまーに帰るぶんには、ね」といたずらっぽく付け加える。

レイコさんは苦笑いを返して、ちらっと会場の出入り口に目をやった。それに気づいたイネちゃんも、少し心配そうな顔になる。

「キミ婆ちゃん……まだ？」

「うん……おじいちゃんが軽トラックで付き添ってるから、だいじょうぶだとは思うんだけど……」

キミ婆は、今朝になって会場の町民体育館まで歩いて行くと言いだした。ふつうでも徒歩二十分近くかかる道のりを、杖をつき、右足をひきずって、とにかく自分の足で歩いて行くと言い張って譲らなかった。

「ほんと、わがままで無茶なおばあちゃんだよねえ……」

あきれ顔で言ったイネちゃんは、レイコさんが言い返すのを笑顔で制して、「でも、それがキミ婆ちゃんらしくていいよね」とつづけた。「なんか、梅郷のド根性、見せてくれる気がするもん」

レイコさんも、そう思う。田舎だからといって、年寄りだからといって、同情は無用。大地を相手に長年生きてきたふるさとのおばあちゃんの底力を、キミ婆は身をもって教えようとしているのだろう。

だから――。

「わたしも受験がんばらないとね」

「そーだよ、今度も落ちたら、どーすんのよ」

イネちゃんは笑って、「東京に引っ越したら、絶対に連絡して」と言った。

「うん……わかった」

「でも、なんとなくさ、東京だと意外と会ったりしないかもね、わたしたち」

「……かもね」

「でも、友だちだよね。ふるさとの友だちって、やっぱ、一生モノだよね？」

レイコさんはこっくりとうなずいた。

歌合戦もいよいよ大詰め、トリの『歓喜の歌』の合唱になったが、キミ婆はまだ姿を見せない。居ても立ってもいられず、レイコさんは会場の外に出た。まずい。雪が降っている。それも夕方までに積もりそうな降り方だった。

会場から漏れる『歓喜の歌』の歌声は、エンディングにさしかかる。

「レイコ、どう？　キミ婆ちゃん来た？」

イネちゃんも会場から出てきた。

ううん、まだ、と首を横に振りかけた瞬間、ピタッと体の動きが止まった。さらに次の瞬間、体が勝手にその場で跳ねた。

「おばあちゃん！」

体育館へつづく一本道の先のほうに、キミ婆の姿が見えた。最徐行の軽トラックで付き添う達爺《じい》が、運転席の窓から「がんばれ！　もうちょっとじゃ！」と声をかけている。トラックの荷台では隆造さんが、降りしきる雪がキミ婆にかからないよう傘を差している。

イネちゃんはダッシュで会場に戻る。『歓喜の歌』へ贈られる拍手喝采に割り込んで、イネちゃんの声が響いた。

「キミ婆ちゃん、ただいま到着！」

最初は怪訝《けげん》そうにざわついていた客席も、やがて経緯が伝わっていったのだろう、一人また一人と外に出てきて……気がつくと、全員残らずキミ婆を出迎えていた。

キミ婆は歯を食いしばって、懸命に歩く。一歩ずつ、一歩ずつ、レイコさんのもとに近づいてくる。

思わず駆け寄って迎えようとしたレイコさんの肘《ひじ》を、珠代さんが後ろから引いた。

「ここで待っとかんといけんよ」――涙声で言って、そのまま、歌いだす。

兎《うさぎ》追いし　かの山。

小鮒《こぶな》釣りし　かの川。

歌声が広がっていく。誰もが泣いて、笑って、肩を組み、微笑み合っていた。

夢は今もめぐりて。

忘れがたき故郷《ふるさと》。


レイコさんも歌った。イネちゃんも歌った。

トラックの荷台で隆造さんも歌い、達爺は片手でハンドルを握り、片手で涙を拭《ぬぐ》いながら、歌った。キミ婆だって、照れ隠しにムスッとした顔をして、でも、口を動かしていた。

おじいちゃんも、おばあちゃんも、おじさんも、おばさんも、数少ない若者も、子どもも、お年寄りにおんぶされた赤ちゃんまで、みんなで、みんなが、みんなとともに、みんなのために……。

ふるさとが、歌った。

本書は「家の光」（一般社団法人　家の光協会発行）で、
二〇〇二年七月号～二〇〇三年十二月号まで連載されて
いた作品に大幅な修正を加えた文庫オリジナル作品です。

みんなのうた

重松《しげまつ》 清《きよし》

角川文庫 18101

JASRAC 出1308929-301

平成二十五年八月二十五日　初版発行

発行者―井上伸一郎
発行所―株式会社角川書店
東京都千代田区富士見二―十三―三
電話・編集（〇三）三二三八―八五五五
〒一〇二―八〇七八
発売元―株式会社KADOKAWA
東京都千代田区富士見二―十三―三
電話・営業（〇三）三二三八―八五二一
〒一〇二―八一七七
http://www.kadokawa.co.jp
印刷所―旭印刷　製本所―BBC
装幀者―杉浦康平

し 29-8　　ISBN978-4-04-100955-0　C0193

角川文庫発刊に際して

角川源義

第二次世界大戦の敗北は、軍事力の敗北であった以上に、私たちの若い文化力の敗退であった。私たちの文化が戦争に対して如何に無力であり、単なるあだ花に過ぎなかったかを、私たちは身を以て体験し痛感した。西洋近代文化の摂取にとって、明治以後八十年の歳月は決して短かすぎたとは言えない。にもかかわらず、近代文化の伝統を確立し、自由な批判と柔軟な良識に富む文化層として自らを形成することに私たちは失敗して来た。そしてこれは、各層への文化の普及滲透を任務とする出版人の責任でもあった。

一九四五年以来、私たちは再び振出しに戻り、第一歩から踏み出すことを余儀なくされた。これは大きな不幸ではあるが、反面、これまでの混沌・未熟・歪曲の中にあった我が国の文化に秩序と確たる基礎を齎らすためには絶好の機会でもある。角川書店は、このような祖国の文化的危機にあたり、微力をも顧みず再建の礎石たるべき抱負と決意とをもって出発したが、ここに創立以来の念願を果すべく角川文庫を発刊する。これまで刊行されたあらゆる全集叢書文庫類の長所と短所とを検討し、古今東西の不朽の典籍を、良心的編集のもとに、廉価に、そして書架にふさわしい美本として、多くのひとびとに提供しようとする。しかし私たちは徒らに百科全書的な知識のジレッタントを作ることを目的とせず、あくまで祖国の文化に秩序と再建への道を示し、この文庫を角川書店の栄ある事業として、今後永久に継続発展せしめ、学芸と教養との殿堂として大成せんことを期したい。多くの読書子の愛情ある忠言と支持とによって、この希望と抱負とを完遂せしめられんことを願う。

一九四九年五月三日

角川文庫ベストセラー

かっぽん屋　重松　清

汗臭い高校生のほろ苦い青春を描きながら、えもいわれぬエロスがさわやかに立ち上る表題作ほか、摩訶不思議な奇天烈世界作品群を加えた、著者初のオリジナル文庫！

疾走（上）（下）　重松　清

孤独、祈り、暴力、セックス、殺人。誰か一緒に生きてください——。人とつながりたいと、ただそれだけを胸に煉獄の道のりを懸命に走りつづけた十五歳の少年のあまりにも苛烈な運命と軌跡。衝撃的な黙示録。

哀愁的東京　重松　清

破滅を目前にした起業家、人気のピークを過ぎたアイドル歌手、生の実感をなくしたエリート社員……東京を舞台に「今日」の哀しさから始まる「明日」の光を描く連作長編。

うちのパパが言うことには　重松　清

かつては1970年代型少年であり、40歳を迎えて2000年代型おじさんになった著者。鉄腕アトムや万博に心動かされた少年時代の思い出や、現代の問題を通して、家族や友、街、絆を綴ったエッセイ集。

みぞれ　重松　清

思春期の悩みを抱える十代。社会に出てはじめての挫折を味わう二十代。仕事や家族の悩みも複雑になってくる三十代。そして、生きる苦みを味わう四十代——。人生折々の機微を描いた短編小説集。

角川文庫ベストセラー

とんび　重松　清

昭和37年夏、瀬戸内海の小さな町の運送会社に勤めるヤスに息子アキラ誕生。家族に恵まれ幸せの絶頂にいたが、それも長くは続かず……高度経済成長に活気づく時代と町を舞台に描く、父と子の感涙の物語。

ひと粒の宇宙 全30篇　石田衣良他

芥川賞から直木賞、新鋭から老練まで、現代文学の第一線級の作家30人が、それぞれのヴォイスで物語のひだを情感ゆたかに謳いあげる、この上なく贅沢な掌篇小説のアンソロジー！

約束　石田衣良

池田小学校事件の衝撃から一気呵成に書き上げた表題作はじめ、ささやかで力強い回復・再生の物語を描いた必涙の短編集。人生の道程は時としてあまりにもハードだけど、もういちど歩きだす勇気を、この一冊で。

美丘　石田衣良

美丘、きみは流れ星のように自分を削り輝き続けた……平凡な大学生活を送っていた太一の前に現れた問題児。障害を越え結ばれたとき、太一は衝撃の事実を知る。著者渾身の涙のラブ・ストーリー。

5年3組リョウタ組　石田衣良

茶髪にネックレス、涙もろくてまっすぐな、教師生活4年目のリョウタ先生。ちょっと古風な25歳の熱血教師の一年間をみずみずしく描く、新たな青春・教育小説！

角川文庫ベストセラー

幸福な遊戯　角田光代

ハルオと立人とわたし。恋人でもなく家族でもない者同士の共同生活は、奇妙に温かく幸せだった。しかし、やがてわたしたちはバラバラになってしまい——。瑞々しさ溢れる短編集。

ピンク・バス　角田光代

夫・タクジとの間に子を授かり浮かれるサエコの家に、タクジの姉・実夏子が突然訪れてくる。不審な行動を繰り返す実夏子。その言動に対して何も言わない夫に苛つき、サエコの心はかき乱されていく。

薄闇シルエット　角田光代

「結婚してやる」と恋人に得意げに言われ、ハナは反発する。結婚を「幸せ」と信じにくいが、自分なりの何かも見つからず、もう37歳。そんな自分に苛立ち、戸惑うが……ひたむきに生きる女性の心情を描く。

嗤う伊右衛門　京極夏彦

鶴屋南北「東海道四谷怪談」と実録小説「四谷雑談集」を下敷きに、伊右衛門とお岩夫婦の物語を怪しく美しく、新たによみがえらせる。愛憎、美と醜、正気と狂気……全ての境界をゆるがせる著者渾身の傑作怪談。

巷説百物語　京極夏彦

江戸時代。曲者ぞろいの悪党一味が、公に裁けぬ事件を金で請け負う。そこここに滲む闇の中に立ち上るあやかしの姿を使い、毎度仕掛ける幻術、目眩、からくりの数々。幻惑に彩られた、巧緻な傑作妖怪時代小説。